JN237641

本当においしい
# アイシング&
# カラフルクッキー

小林三佐子

## はじめに

私がアイシングクッキーの教室を始めたのは、10年ほど前。
もともとはフランス菓子を作ることが大好きで、そのデコレーションスキルアップのためにと、シュガークラフト*を習い始めたのがきっかけです。
始めるまでは、まったく知識がなかったシュガークラフトですが、なんでも砂糖で表現できる奥深さや、その芸術性のとりこになり、世界大会に出展するために、作品を大切に抱えて渡英するほどのめりこんでしまいました。
その楽しさをたくさんの方に知っていただきたく、親しみやすいシュガーデコレーションテクニックをより手軽に、親しみやすい形で伝えたいと思い、アイシングクッキーの教室をスタートしました。

教室を始めるにあたって、私がなによりこだわったのが"かわいいだけでなく、おいしい"ということ。試行錯誤した結果、合成着色料を使用せず、天然の色素（フリーズドライパウダー）を使って着色した、アイシングクッキー作りにたどりつきました。
天然の色素は合成着色料のように、カラーバリエーションはだせません。でも、デザインを工夫すれば、色に頼らなくてもかわいいクッキーを作ることができますし、その少し抑え目の色合いは、大人っぽい雰囲気を演出できます。

＊シュガークラフト…イギリス発祥の、シュガーペーストと
ロイヤルアイシングを使った、ケーキデコレーションのこと

そして、今回はベースになるクッキーにもこだわりました。たっぷりの発酵バターに粉砂糖と卵、準強力粉を加えたレシピは、風味豊かな味わいと、繊細な口当たりが魅力です。その上で、クッキーにも天然の色素で色をつけたカラフルクッキーを紹介しています。「カラフルクッキー」と「カラーアイシング」の組み合わせをぜひ楽しんでください。

この本では、ベーシックなデザインのクッキーをはじめ、少しレベルアップしたものも紹介しています。かわいいものが好きな方、ビギナーの方、ワンランク上を目指したい方、デザインの参考にしたい方、どんな方にも見ているだけでかわいく、役立つ内容にしたい、また、たくさんの方にスイーツデコレーションの楽しさと、おいしさを知っていただきたいという思いを込めて、この本を作りました。

私には、アイシングクッキーのデザインに悩んだときに、必ずページをめくる本があります。
それは大昔に買った本ですが、私にとってはいまだ色あせない、そして頼りになる本、大切な本です。この本も、アイシングクッキー作りに悩んだときや困ったとき、いつでも立ち戻って、なんどでも見返していただけるような、"頼れる参考書"になればと思います。

そして、みなさまの幸せのお手伝いができれば、本当に幸せです。

小林三佐子

# CONTENTS

はじめに ……………………………………… 2
本書の使い方 ………………………………… 6

## Part 1
## 基本のレッスン

1 基本の道具 ……………………………… 8
2 基本のバニラクッキーの作り方 ……… 10
3 カラフルクッキーの作り方 …………… 11
4 基本のアイシングの作り方 …………… 12
5 アイシングの色の付け方 ……………… 13
6 色付けに使うフリーズドライパウダー
　 …………………………………………… 14
7 コルネの作り方 ………………………… 16
8 アイシングの描き方 …………………… 18
9 シュガーペーストの使い方 …………… 24

**本書で使っている抜き型と道具** …………… 26

## Part 2
## ベーシックな デコレーション

**ドット＆ライン ①** ………………………… 28
　[カラフルドット、ドットフラワー、ストライプ、チェック]
**ドット＆ライン ②** ………………………… 30
　[スモールドット、トリプルパターン、ラージドット、エスニックパターン]
**ブラックレース** ……………………………… 32
　[カーブドレース、ラインレース、エレガントレース、フローラルレース]
**ドロップス** …………………………………… 34
　[ローレル、ホワイトフラワー、ハート＆ドロップス、ワイルドフラワー]
**デコレーティングチップ** …………………… 36
　[ピンクベルト、スターハート、シェルフラワー、ブルームド]

**コラム１** ……………………………………… 38
プレゼントしたい！おしゃれなギフトアイデア

## Part 3
## 色とおいしさを楽しむ
## デコレーション

**満開の桜**……………………… 40
　［桜の花びら、小さな桜、レースの桜、桜、葉］
**午後の紅茶**……………………… 42
　［ティーポット、カップ＆ソーサー、カトラリー］
**ラベンダー畑**……………………… 44
　［ラベンダー、ベアー、ビー、水玉、ストライプ、らせん］
**ある雨の日**……………………… 46
　［口金の紫陽花、シンプルな紫陽花、和風の紫陽花、紫陽花の葉］
**サマーバケーション**……………………… 48
　［サマードレス、ウェッジソールサンダル、ストローハット］
**夜空の花火**……………………… 50
　［菊、牡丹、スターマイン］
**アンティークブローチ**……………………… 52
　［カメオ、ビジュー、マリー］
**モードなパンプス**……………………… 54
　［カウ、ゼブラ、ジラフ、レオパード］
**ダマスク柄のタイル**……………………… 56
　［タイル A、タイル B、タイル C］

**コラム 2**……………………… 58
ハッカあめのしずくの作り方
アイシングパーツの型紙

## Part 4
## アニバーサリーギフトの
## ためのデコレーション

**プリティ バレンタイン**……………………… 60
　［リボンハート、M ハート、ボーイ、ガール］
**バレンタイン ボックス**……………………… 62
　［ギフトボックス、M ミニハート、ドットミニハート、ストライプミニハート］
**ホワイト ウエディング**……………………… 64
　［ローズのケーキ、ホワイトドレス、ホワイトプレート］
**ブルー ウエディング**……………… 66、68〜69
　［フラワードレス、リングピロー、リボンのケーキ］
**ホワイト クリスマス**……………… 67、70〜71
　［スノークリスタル、ミニスノークリスタル、ゴールドオーナメント、シルバーオーナメント］
**ハッピー バースデー**……………………… 72
　［ケーキのパズルクッキー］
**ベイビー ギフト**……………………… 74
　［ロンパース、ベイビーボトル、ビブ、ベイビーベアー］

## Part 5
## 市販のスイーツを使った
## デコレーション

**マカロン**……………… 76、80〜81
　［マカロン M、マカロン E、マカロン R、マカロン C、マカロン I］
**エクレア**……………… 77、82〜83
　［ドットエクレア、バタフライのエクレア、ローズのエクレア］
**シュークリーム**……………… 78、84〜85
　［ルリジューズ A、ルリジューズ B、ルリジューズ C］
**3 種類のケーキ**……………… 79、86〜87
　［カーネーションのカップケーキ、ハートのガトーショコラ、いちごのバースデーケーキ］

# 本書の使い方

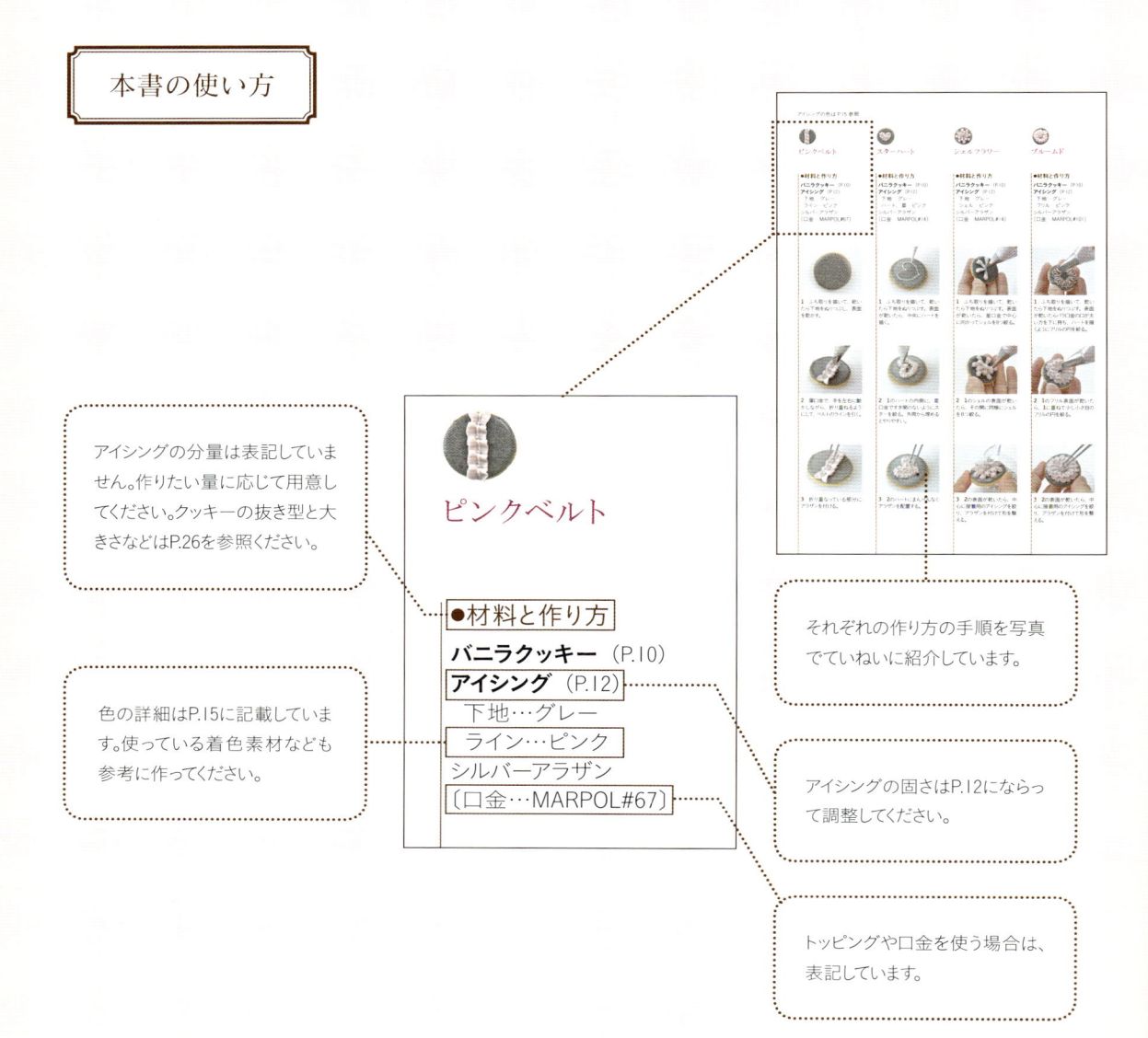

アイシングの分量は表記していません。作りたい量に応じて用意してください。クッキーの抜き型と大きさなどはP.26を参照ください。

色の詳細はP.15に記載しています。使っている着色素材なども参考に作ってください。

ピンクベルト

●材料と作り方
バニラクッキー（P.10）
アイシング（P.12）
　下地…グレー
　ライン…ピンク
　シルバーアラザン
〔口金…MARPOL#67〕

それぞれの作り方の手順を写真でていねいに紹介しています。

アイシングの固さはP.12にならって調整してください。

トッピングや口金を使う場合は、表記しています。

## 【表記について】
- 小さじ1=5ml、大さじ1=15mlです。
- できあがりの完成写真は、参考例です。色や仕上げのトッピングなどは、分量を調整したり、違うもので代用したりして、好みのイメージに仕上げてください。
- オーブンの温度と焼き時間は目安です。機種によって異なるので、様子をみながら調整してください。

## 【アイシングの乾燥時間について】
作業中のアイシングは、表面が乾けば次の作業にうつれますが、アイシングパーツやアイシングクッキーを完成させるためには、中まで完全に乾燥させる必要があります。
完全乾燥の目安時間は、クッキーの表面全体にぬった場合で約1日（使っている着色素材やアイシングの状態で、かかる時間は変わります）。表面の光沢がなくなり、指で触ったときに、あとがつかなければ乾燥している状態です。

## 【食べるときは】
この本で紹介しているアイシングクッキーは、天然の着色素材を使っているため、退色しやすくなっています。できれば、早めに食べ切りましょう。

## Part 1

## Basic Lesson

## 基本のレッスン

アイシングクッキーを作るための
ベース＆デコレーション素材の作り方を学びます。
クッキー、アイシングは、
野菜や果物の粉末で着色したやさしい色合いと、
ほんのりフレーバーが楽しめます。
ていねいなプロセスで紹介しているので、
ビギナーの方も安心です。

# 1 基本の道具

アイシングクッキーを作るときにそろえておきたい基本の道具をピックアップしています。
必要な道具を準備してから作り始めると、作業がスムーズです。

## クッキーを作るとき

**スケール**
粉や砂糖を計量するときに。正確に計れるデジタル表示のものがおすすめ

**ボウル**
生地を混ぜ合わせるときに使用。直径20cmくらいの大きいサイズが使いやすい

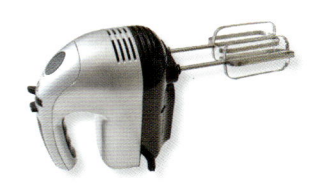

**ハンドミキサー**
本書のクッキー生地はバターをふんわり泡立てて作るので、ハンドミキサーが便利

**ゴムべら**
バターの生地と粉を切り混ぜるときに。しっかりした作りのものを選んで

**保存袋**
生地を休ませるときに使用。ファスナー付きの密閉タイプが便利

**オーブンシート**
生地をのばすときの下敷きにするほか、オーブンで焼くときにも使う

**ルーラー**
生地の厚みを均一にするための道具。本書では厚さ3mmのものを使用。ホームセンターなどに売っている細めの板でも代用可

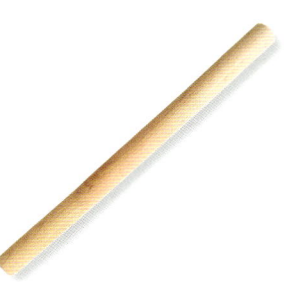

**めん棒**
生地をのばすときに使用。長さ40cmくらいのスタンダードなタイプが使いやすい

## アイシングを作るとき

### スケール
粉砂糖や卵白の量を計るときに。0.1gから計量できるデジタル表示のものを

### ボウル
アイシングを混ぜ合わせるときに。大小あると作業がスムーズ

### ハンドミキサー
本書のロイヤルアイシングは生の卵白をよく混ぜて作るので、ハンドミキサーが便利

### 小さいスプーン
アイシングを着色するときや、固さを調整するときに使用

### パレットナイフ
アイシングの色付けや、固さ調節の混ぜ合わせ、コルネ(P.16)につめるときにも

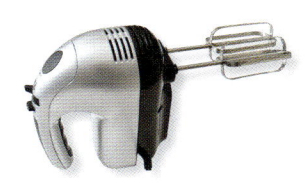

## アイシングを描くとき

### OPPシート
コルネを作るときに。製菓材料店などで手に入る。必要な大きさに切って使う

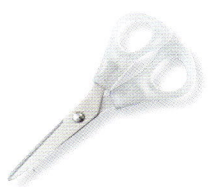

### はさみ
コルネの先を切るときに使用。刃先の細いものが使いやすい

### 小筆
デコレーションの形を整えるときに。水で湿らせて使う

### 楊枝
アイシングのベースをのばしたり、細かい模様を整えるときに使用

### ピンセット
アイシングの色付けや、アラザンなどのトッピングやアイシングパーツをクッキーに付けるときに使用

### パレットナイフL形
シュガーペーストを切ったり、型で抜いたペーストを貼り付けるときに使用

Part1 基本のレッスン

# 2 基本のバニラクッキーの作り方

本書で紹介するクッキーは、たっぷりのバターに粉砂糖と卵、準強力粉を加えたもの。
風味豊かな味わいと、繊細な口当たりが魅力です。その分だれやすいので、常に冷やしながら作業してください。

## 材料（約30枚分）

バター（食塩不使用）*1　100g
粉砂糖　60g
溶き卵　25g
バニラオイル　少々
準強力粉*2　160g

*1 できれば発酵バターがおすすめ
*2 中力粉でも可

〈下準備〉
・バター、卵は室温に戻す
・準強力粉は大きめのボウルにふるう
・オーブンは180℃に温める

**1** 室温に戻したバターをハンドミキサーでよく撹拌する。

**2** 粉砂糖を加え、ふんわりと白っぽくなるまで、空気を含ませるように撹拌する。

**3** 溶き卵とバニラオイルを一度に加え、さらに撹拌する。

**4** 撹拌し終わって、白くふんわりとした状態。

**5** ふるった準強力粉のボウルに4を加え、ゴムべらで切るように混ぜ合わせる。

**6** 粉っぽさがなくなるまで混ぜ合わせる。

**7** 保存袋に入れ、めん棒で薄くのばして平らにする。

**8** 冷蔵庫に入れ、ひと晩寝かせる（すぐに使用しない場合は冷凍庫へ。解凍するときは冷蔵庫にひと晩おいてから使う）。

**9** オーブンシートの上に打ち粉をふり、8の生地をかるくまとめる。

**10** 生地の切れめを整える。

**11** 生地の両端にルーラーをおいて、めん棒で3mm厚さにのばす。

**12** 好みのクッキー型で生地を抜く（焼く前に冷蔵庫で冷やすときれいに焼き上がる）。

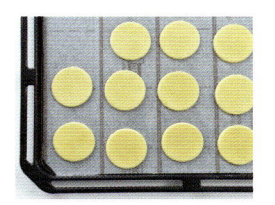

**13** オーブンシートを敷いた天板に並べ、180℃のオーブンで約10〜12分焼く（1.5cm厚さの生地を使うP.65「ローズのケーキ」の焼き時間は約15〜20分）。

**14** クッキーがきつね色になったら取り出して、網の上で粗熱をとる。完全に冷めてからデコレーションをする。

> 生地があまったら…
> 密閉して冷凍庫に入れ、3週間くらいで使い切りましょう。

# 3 カラフルクッキーの作り方

本書では、クッキーとアイシングの色の合わせ方を楽しむため、
バニラクッキーをアレンジした、カラフルクッキーを紹介しています。
ここでは、全12種類のカラフルクッキーの材料（約30枚分）とオーブンの温度をまとめました。
それぞれのパウダーについては、P.14を参照してください。

＊パウダーは準強力粉と合わせてふるい、生地と混ぜ合わせます
＊その他の手順、オーブンの焼き時間は「基本のバニラクッキー」と同様です

### いちご
バター（食塩不使用）100g／粉砂糖75g／卵25g／準強力粉150g／ストロベリーパウダー20g【170℃】

### ラズベリー
バター（食塩不使用）100g／粉砂糖70g／卵25g／準強力粉150g／ラズベリーパウダー20g【170℃】

### ブルーベリー
バター（食塩不使用）100g／粉砂糖75g／卵25g／準強力粉150g／ブルーベリーパウダー20g【170℃】

### 紫いも
バター（食塩不使用）100g／粉砂糖70g／卵25g／準強力粉150g／紫いもパウダー20g【170℃】

### 抹茶
バター（食塩不使用）100g／粉砂糖75g／卵25g／準強力粉150g／抹茶パウダー15g【170℃】

### マンゴー
バター（食塩不使用）100g／粉砂糖70g／卵25g／準強力粉150g／マンゴーパウダー20g【170℃】

### レモン
バター（食塩不使用）100g／粉砂糖65g／卵25g／準強力粉160g／レモンの皮のすりおろし1/4個分【180℃】

### オレンジ
バター（食塩不使用）100g／粉砂糖65g／卵25g／準強力粉160g／オレンジの皮のすりおろし1/4個分【180℃】

### ジンジャー
バター（食塩不使用）100g／粉砂糖60g／卵25g／準強力粉150g／シナモン小さじ1／クローブ小さじ1/4／ジンジャーパウダー小さじ1【180℃】

### 紅茶
バター（食塩不使用）100g／粉砂糖80g／卵25g／準強力粉160g／紅茶パウダー8g【180℃】

### ココア
バター（食塩不使用）100g／粉砂糖75g／卵25g／準強力粉150g／ココアパウダー15g／ブラックココアパウダー5g【180℃】

### 黒ごま
バター（食塩不使用）100g／粉砂糖70g／卵25g／準強力粉150g／黒ごまパウダー20g／竹炭パウダー4g【180℃】

# 4 基本のアイシングの作り方

本書のアイシングは粉砂糖と生の卵白だけを使ったレシピ。
本書で使用する基本の「白色」のアイシングです。
乾燥卵白に比べて、卵白を混ぜる時間はかかりますが、なめらかなつやと口溶けが楽しめます。

## 材料

**〔かためのアイシング〕**
粉砂糖…250g
卵白…約30g

**〔中間のアイシング〕**
粉砂糖…250g
卵白…約40g

**〔ゆるめのアイシング〕**
粉砂糖…250g
卵白…約50g

＊アイシングは用途によって固さが変わります。また、使用する前には微調整が必要です。

### 保存するときは
保存するときは密閉容器に入れて、冷暗所へ。生の卵白を使用しているので、2〜3日くらいで使い切ってください。

**1** ボウルに粉砂糖を入れ、中央にくぼみを作って一度に卵白を加える。

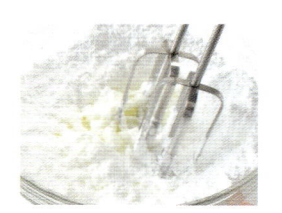

**2** 卵白をほぐすように、ハンドミキサーの低速で、2分ほど練り混ぜる。

**3** かるく全体を混ぜ合わせる。

**4** つやがでて、なめらかな状態になればできあがり。

## アイシングの固さと調節方法

アイシングでデコレーションするときは、固さを「かため」「中間」「ゆるめ」の3種類で使い分けます。

### 固さを調節するときは
ゆるくしたいときは、アイシングに少しずつ水を加え、パレットナイフで混ぜ合わせます。固くしたいときは同じように粉砂糖を加えて混ぜ合わせます。

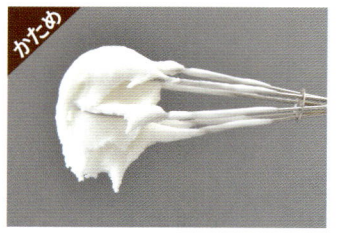

**かため**
持ち上げたときにツノがピンと立つくらいの固さ。口金を使用しない葉（P.18）や、口金を使ったデコレーション（P.22）に使用。

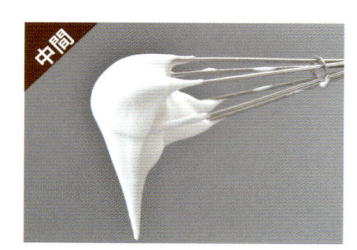

**中間**
持ち上げたときに、逆三角形ができるくらいの固さ。下地のふち取り（P.21）をはじめ、模様を描くときや、パーツをつける接着剤代わりに。ほとんどのデコレーションはこの固さを使用。

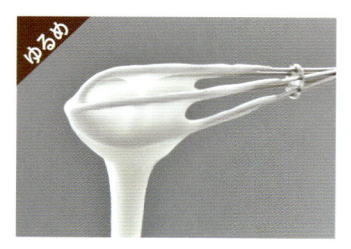

**ゆるめ**
持ち上げたときにとろとろと落ちていくくらいの固さ。下地のぬりつぶし（P.21）など、広い面をぬるときや、落とす模様（下記参照）を描くときに使用。

### 落とす模様とは
写真左のようにぬりつぶした下地が乾かないうちにアイシングを絞ると、一体化して「落とす模様」になります。逆に写真右のように、下地が乾いてから模様を絞ると、立体感のあるデコレーションになります。

### こんなときは
アイシングでぬりつぶした部分に、小さな穴があいたり、ひび割れすることがあります。これは水分の多さが原因なので、少し固めに調整して使いましょう。

# 5 アイシングの色の付け方

基本のアイシング（P.12）に、野菜や果物の粉末を混ぜ合わせて着色します。
合成着色料と違い、やわらかい色合いとフレーバーが楽しめます。

**この本で着色に使うアイテム**
野菜や果物を粉末状にした「フリーズドライパウダー」を使用。色のサンプルと、使用するパウダーは、P.14～15で紹介しています。

**1** アイシングを必要な分だけ取り分け、パウダーを適量加える（合成着色料に比べて色が付きにくいのでたっぷり加える）。

**2** パレットナイフで混ぜ合わせる。

**3** 色ムラがなくなったらできあがり。ダマが残る場合は、ひと晩おいてから使う。

**変色やムラがでるときは**
フリーズドライパウダーは合成着色料と違って、退色しやすくなります。なるべく早めに食べきりましょう。また、デコレーションしたクッキーはよく乾燥させて、ムラを防ぎましょう。

Part1 基本のレッスン

# 6　色付けに使うフリーズドライパウダー

本書では、果物や野菜を使ったフリーズドライパウダーを着色の素材として使用しています。ここでは、本書で使っている19種類のパウダーを紹介。メーカーによって色が変わるので、選ぶときの参考にしてください。

**いちご**
「バスコフーズ」のストロベリーパウダーを使用

**ラズベリー**
「バスコフーズ」のラズベリーパウダーを使用

**ローズ**
「山眞産業」のローズパウダーを使用

**ブルーベリー**
アイシング／「NUTRI FRUIT」のブルーベリーパウダーを使用
クッキー／「エコサイエンス」のブルーベリーパウダーを使用

**カシス**
「エコサイエンス」のカシスパウダーを使用

**紫いも**
アイシング／「三笠産業」の紫いもパウダーを使用
クッキー／「クオカ」の紫いもパウダーを使用

**抹茶**
「クオカ」の京都抹茶パウダーを使用

**ほうれんそう**
「三笠産業」のほうれんそうパウダーを使用

**にんじん**
「三笠産業」のにんじんパウダーを使用

**きなこ**
「クオカ」の黒須深煎きな粉を使用

**かぼちゃ**
「三笠産業」のかぼちゃパウダーを使用

**マンゴー**
「KUKKU」のマンゴーパウダーを使用

**ジンジャー**
「GABAN」のジンジャーパウダーを使用

**紅茶**
「ナリヅカコーポレーション」の紅茶パウダーを使用

**インスタントコーヒー**
市販の粉末タイプを使用。
＊湯で溶いてアイシングに混ぜて使います

**ココア**
「クオカ」のココアパウダーを使用

**ブラックココア**
「クオカ」のブラックココアパウダーを使用

**黒ごま**
「バスコフーズ」の黒ごまパウダーを使用

**竹炭**
「クオカ」の竹炭パウダーを使用

クッキーとアイシングで使っているパウダーが違うものは、発色が違うためです。色作りにはルールはないので、お好みのカラーで楽しんでください。

## アイシングとカラーサンプル（色見本）

本書にでてくるアイシングやシュガーペーストは、白を基本に18色。
[ ]内のパウダー（左ページ参照）で着色しています。
下のカラーサンプルを目安に、オリジナルの色作りを楽しんでください。

＊白は色をつけていない「基本のアイシング」（P.12）を使う。

| ピンク | ローズ | 紫 | 藤色 | 水色 |
|---|---|---|---|---|
| [いちご1＋ラズベリー1] | [ローズ1＋ラズベリー1] | [ブルーベリー] | [カシス／P.51のみ使用] | [紫いも] |

| 緑 | 若葉 | オレンジ | 黄 | マンゴー |
|---|---|---|---|---|
| [抹茶] | [ほうれんそう／P.75のみ使用] | [にんじん] | [かぼちゃ] | [マンゴー] |

| ベージュ | きなこ | コーヒー | 紅茶 | こげ茶 |
|---|---|---|---|---|
| [ジンジャー] | [きなこ／P.53のみ使用] | [インスタントコーヒー] | [紅茶] | [ココア1＋ブラックココア少々] |

| グレー | 黒 |
|---|---|
| [黒ごま] | [竹炭] |

Part1 基本のレッスン

# 7　コルネの作り方

アイシングを絞るときに使うのが、OPP シートやベーキングシートを切って丸めて作るコルネ。
ライン、ドットをはじめ、模様を絞るときや口金を使わない葉を描くときは A タイプを使用し、
ゆるいアイシングでぬりつぶしたり、模様を落とすとき、口金をセットする場合は B タイプを使います。

### ●コルネ（A タイプ）

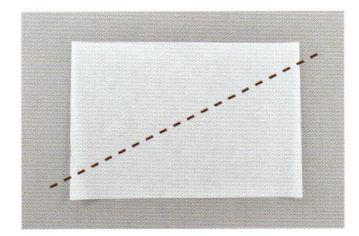

1　長方形のOPPシートを用意する。

2　1の点線に沿って、角をずらして折る。

3　2の折り目に沿ってカッターで切る。

4　3で切った状態。

5　AがBに重なるようにくるりと巻く。このときAをBにぴったり重ねず、少しずらす。

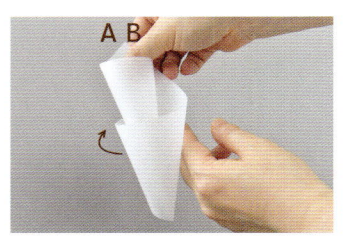

6　A、Bをしっかり押さえ、Cを2回巻き付ける。写真は1回巻いたところ。

7　先をとがらせるように、2回目を巻く。重なる部分は、すき間ができないようにしっかり巻く。

8　巻き終わった状態。先がきれいにとがっている。

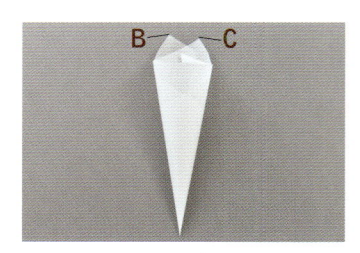

9　巻き終わりをテープで固定して完成。

## ●コルネ（Bタイプ）

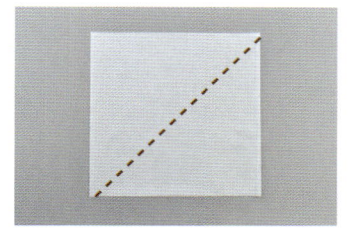

**1** 正方形のOPPシートを用意する。

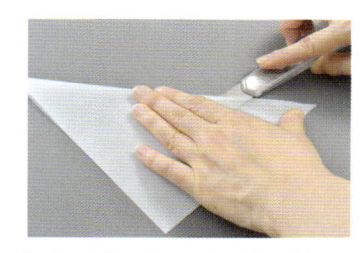

**2** 1の点線に沿って三角に折り、折り目に沿ってカッターで切る。

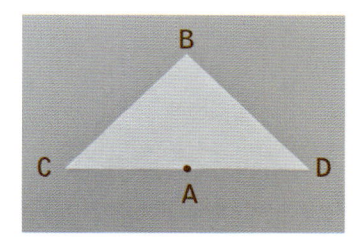

**3** 2で切った状態。

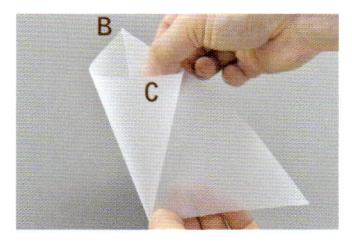

**4** 一番長い辺の中心を頂点にし、CをBの角に合わせて巻く。

**5** 4と同様に、DをBの角に合わせて巻く。

**6** コルネの先がとがるように調整する。

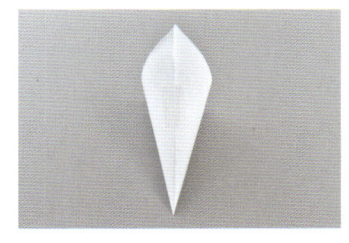

**7** 巻き終わりをテープで固定して完成。口金の使い方はP.22参照。

### コルネのサイズは
アイシングが少量の場合は小さめのコルネをつくるなど、量によって、コルネの大きさは使い分けましょう。

### 作業を途中で中断するときは
コルネの先が乾燥して固まることがあるので、湿らせたペーパータオルで挟んでおきましょう。

Part1 基本のレッスン

# 8 アイシングの描き方

コルネができたら、さっそくアイシングをつめて模様を描いてみましょう。
つめ方、口の閉じ方、絞り方にもポイントがあるので、最初は解説を見ながらすすめてください。
本書全体を通して、このテクニックを使うので、ここでしっかり習得するのが上達のポイントです。

## アイシングをつめる

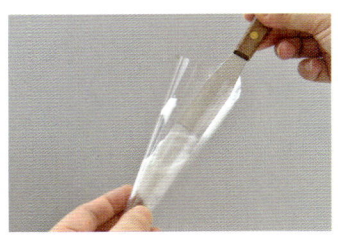

**1** よく練ったアイシングをパレットナイフで適量を取り、コルネの先まで入れる。

**2** パレットナイフを指で挟んで引き抜く。

**3** 口の左右を手前に三角に折る。

**4** アイシングを押し下げながら、くるくると手前に折り曲げる。

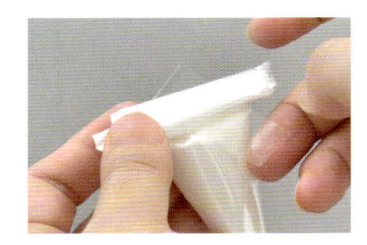

**5** アイシングがコルネの先まで下がってきたら、折った部分をテープで留める。

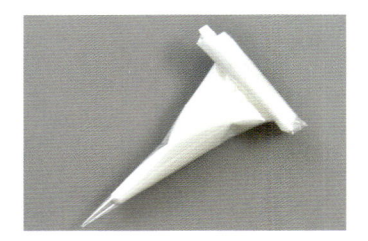

**6** 完成。

## コルネを切る

### ●ライン、ドットを描くとき

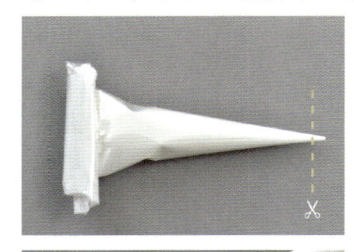

コルネの先をまっすぐに切る。これが基本的な切り方。切る場所によって、ラインやドットの太さが変わる。

### ●葉を描くとき

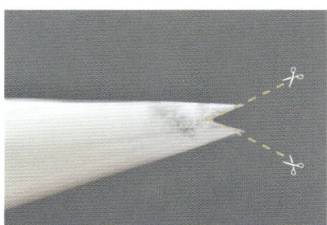

コルネの先を逆のV字になるように切る。切る場所によって葉の大きさが変わる。
葉型のアイシングデコレーションは、口金がなくてもこの切り方で描くことができる。

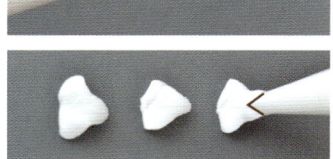

### コルネを絞る

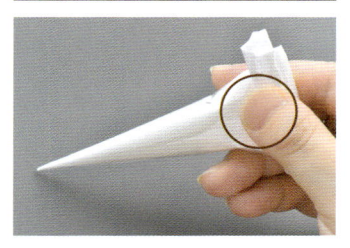

1　折り曲げた部分の中央を押しながら絞る。アイシングが少なくなってきたら、さらに折り曲げて同じように絞る。

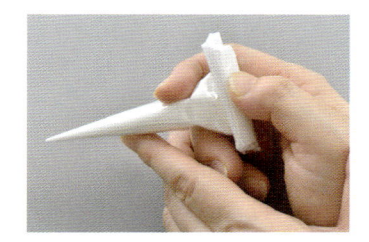

2　逆の手を添えると、安定して描きやすい。

**NG**
間違ったコルネの絞り方。折り曲げていない部分を押すと、アイシングがきれいに絞れません。

### 基本のアイシングテクニック

●**ライン（直線）**（アイシングの固さは中間。固さについては P.12 参照）

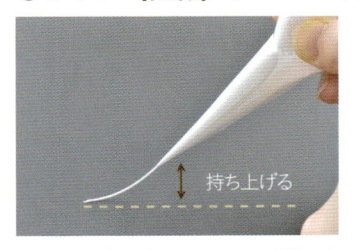

1　一定の力で絞りながらコルネを持ち上げる。

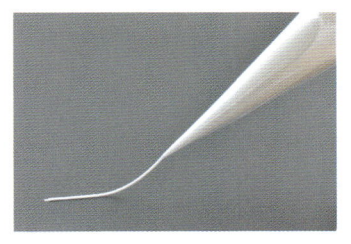

2　ラインを引きたい方へコルネを動かす。

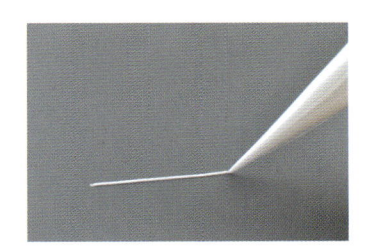

3　目的の場所にゆっくりとコルネの先をおろす。

●**波線**（アイシングの固さは中間）

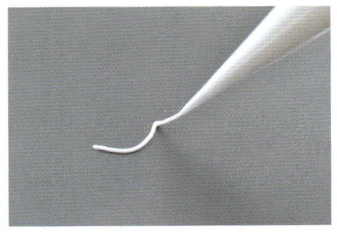

1　一定の力で絞りながらコルネを持ち上げる。

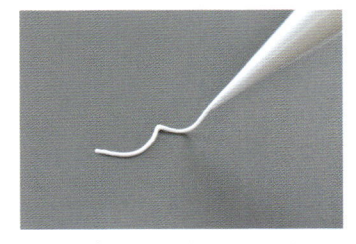

2　カーブを描きたい方へコルネを動かす。

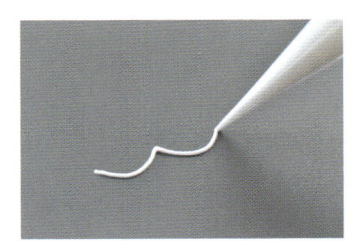

3　目的の場所にゆっくりとコルネの先をおろす。波をつなげて描くときは、1、2を繰り返す。

Part1　基本のレッスン

● **小波**（アイシングの固さは中間。固さについてはP.12参照）

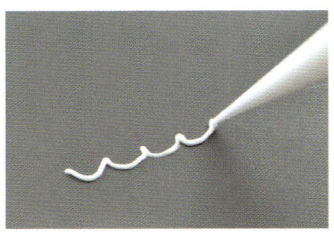

1 コルネの先を少し浮かせて、こするように描く。

**波線、小波のアレンジ**

波線や小波を重ねて描くと、すてきなレース模様になります。

● **ドット**（アイシングの固さは中間）

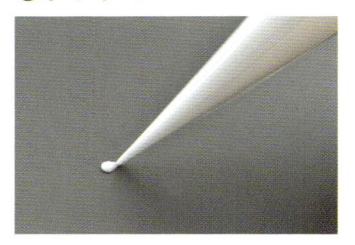

1 コルネを立てて絞る。

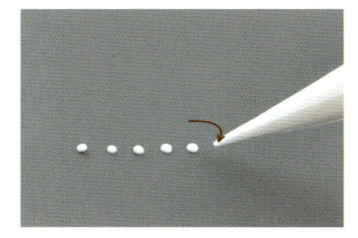

2 好みの大きさになったら、力を完全に抜いて、「の」の字を書くようにコルネを引く。

**NG**

力を入れたままコルネを引くと、ツノが立ってしまいます。

● **しずく**（アイシングの固さは中間）

1 ドットと同じ要領で、コルネを立てて絞る。

2 ゆっくりと力をゆるめながら好みの方向にコルネを引く。

**しずくのアレンジ**

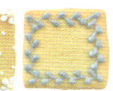

しずくを2つ重ねるとハート形に、5つ重ねると花に、縦に連ねて描くと葉の模様になります。

● **フリル**（アイシングの固さは中間）

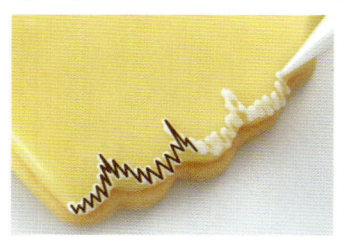

コルネを細かく上下に動かしながら波線を描く。

● **C**（アイシングの固さは中間）

少しカーブをつけたしずくを、矢印の方向に2つ絞って合体させる。

● **下地のぬりつぶし**（アイシングの固さは、ふち取りは中間で、下地はゆるめ）

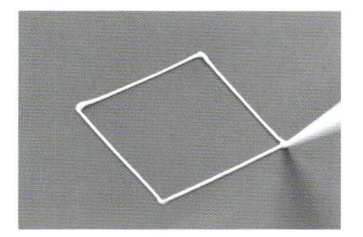

1　好みの形のふち取りを描く。

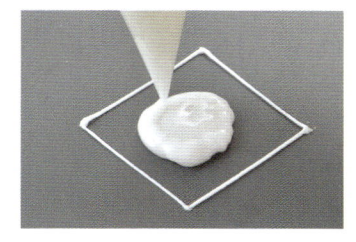

2　ふち取りが乾いたら、中をぬりつぶす。基本的にふち取りとぬりつぶすアイシングは、同色を使う。

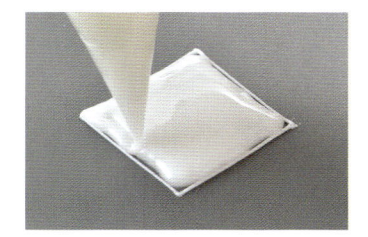

3　コルネの先端や楊枝を使ってアイシングをのばしながら、端までぬりつぶす。クッキー生地が透けないように、たっぷりと絞る。

## アイシングパーツを作る

好きな型紙を使ってアイシングパーツを作りましょう。
本書にでてくるアイシングパーツの型紙はP.58で紹介しています。

1　型紙を用意する。

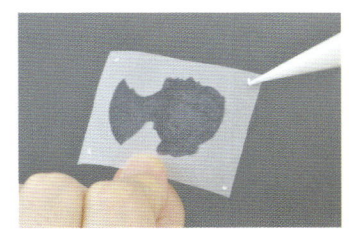

2　型紙の四隅にアイシング（固さは中間）を絞り、台に接着する。

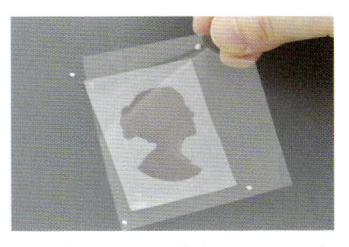

3　型紙よりひと回り大きいOPPシートを重ねる。アイシングで固定すると作業しやすい。

4　型紙に沿ってふち取り（固さは中間）を描く。

5　ふち取りが乾いたら、中をぬりつぶす（固さはゆるめ）。

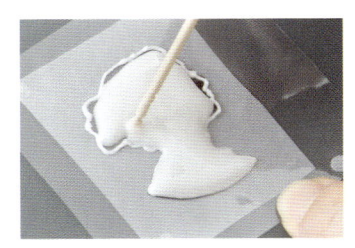

6　端の細かい部分は、楊枝でのばしてぬりつぶす。

7　「食用キラキラパウダー」などをはたく場合は、完全に乾いてから小筆で塗る。

8　台の端を使って写真のように、シートを下に引っ張るようにして、パーツを外す。

9　クッキーに接着用のアイシング（固さは中間）を絞り、パーツを貼り付ける。

Part1　基本のレッスン

## 口金を使う

本書では「星」「葉」「バラ」の3種の口金を使用します。口金を使うと、立体的な飾りができたり、花のアイシングパーツが作れたりと、デコレーションの幅が広がります。すべてかためのアイシングを使います。

### ●口金の使い方

1　コルネの先を太めに切り、口金を入れる。

2　パレットナイフでアイシング（アイシングの固さはかため）を先まで入れ、指で挟んで引き抜く。

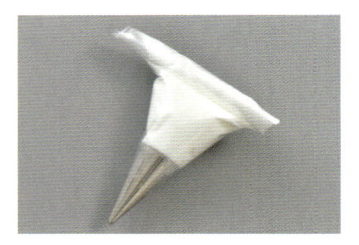

3　「アイシングをつめる」（P.18）と同じ要領でコルネの口を閉じ、テープで留める。通常のコルネと同じ要領で絞る。

### ●この本で使う口金と主な絞り方

スター　シェル
**（星口金）MARPOL#14**
スターは、ドットと同じ要領で絞る。シェルは口金を45°に傾け、しずくをつなげる要領で、進行方向に引くように絞る。

葉　ライン
**（葉口金）MARPOL#67**
葉は口金の先のV字が縦になるように持ち、45°に傾けて引くように絞る。ラインはまっすぐ引っぱる。

ライン　フリル
**（バラ口金）MARPOL#101**
ラインは口の太い方が上になるように持って、まっすぐ寝かせるように絞る。フリルは折りたたむように絞る。

## 口金でアイシングパーツを作る

基本の花（ひまわり、ローズ）と、リボンの作り方を紹介します。

### ●ひまわり（アイシングの固さはかため）

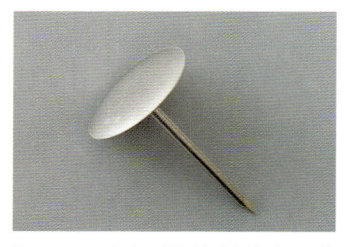

1　フラワーネイル（写真）を用意する。花のアイシングパーツを作るときには必需品。

2　フラワーネイルに接着用のアイシングを絞り、OPPシートか、ワックスペーパーを貼り付ける。

3　星口金でスターを円形に絞り、ひまわりの中心にする。

4　フラワーネイルを回しながら、葉口金で3の周囲に花びらを立ち上げるように絞る。

5　すき間なく周囲に絞ったら完成。

6　フラワーネイルからシートごと外して、完全に乾いてからシートから外す。

### ●ローズ（アイシングの固さはかため）

**1** フラワーネイルにOPPシートかワックスペーパーを貼り付け、基本のコルネ（P.18）で、こんもりとアイシングを絞って写真のような芯を作る。

**2** バラ口金の口の太い方を下にして持ち、芯の先端に、アイシングを一周巻きつける。

**3** 水気を固く絞った小筆で整える。

**4** フラワーネイルを回しながら**3**に沿って花びらを3枚巻く。

**5** 同じ要領で花びらを下に重ねながら5枚巻く。

**6** 同じ要領で花びらを6～8枚巻く。

完全に乾いてからシートから外す。

### ●リボン（アイシングの固さはかため）

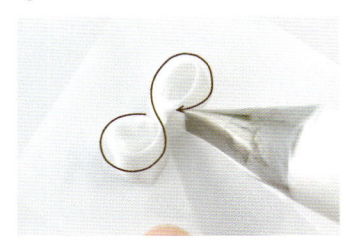

**1** バラ口金の口の太い方を下にして持ち、OPPシートに矢印の手順で ∞ を描くように絞る。

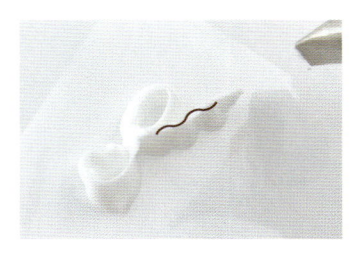

**2** リボンのテール部分を絞る。重ねるようにジグザクに描くとフリルがつく。

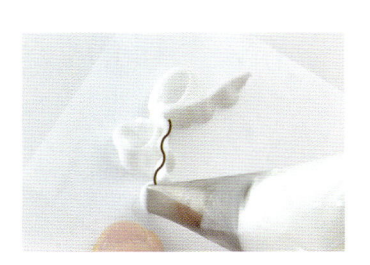

**3** 残りのテールも同じように絞る。

**4** テールを描き終わった状態。

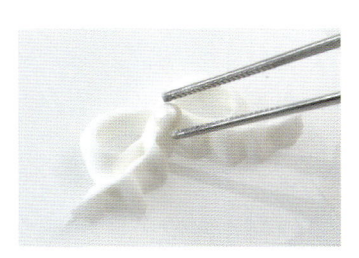

**5** 結び目にシュガーパールを付けてできあがり。完全に乾いてからシートから外す。

Part1 基本のレッスン

# 9 シュガーペーストの使い方

シュガーペーストは、粘土のように扱える便利なデコレーション素材。のばして型で抜くだけで、かんたんに立体的なパーツが作れます。シュガーペーストパウダーと水を練り合わせて作ることもできますが、本書ではすでにペーストの状態になっているものを使います。

### ● 材料と道具

**シュガーペースト（市販）**
「wilton」社のロールフォンダンを使用。そのままのばして使える

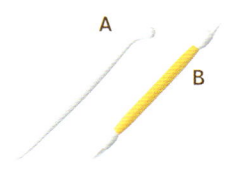

**細工棒（マジパンスティック）**
A はペーストのふちをのばしたり丸みをつけるとき、B はひだを付けるときに使用

**抜き型**
シュガーペースト用の型。さまざまな種類がある

**パレットナイフ L 形**
シュガーペーストを切ったり、型で抜いたペーストを貼り付けるときに使用

**マット**
細工用のマット。スポンジより固めで、ペーストのパーツのふちをのばすときなどに使用

**スポンジ**
ペーストのパーツをのせて丸みをつけるときに使用

### ペーストに色を付ける

**1** シュガーペースト、フリーズドライパウダー、ジン各適量を用意する（ジンは40度以上で無色透明のアルコールで代用可）。

**2** パウダーをジンで溶いて、少量をペーストにのせる（粉末状のままではペーストになじみにくい）。

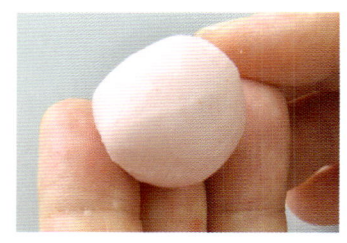

**3** パウダーを包み込むようにして、手でペーストを練る。ムラがなくなればできあがり（色が薄ければ、溶いたパウダーを少しずつ加えて調整する）。

**4** 打ち粉のコーンスターチ（とうもろこしのでんぷん）をふり、ペーストを使いたい幅に広げる。

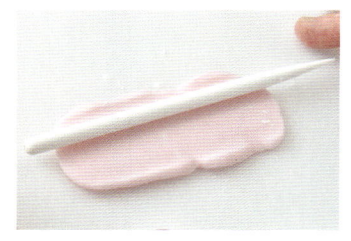

**5** 4を細工棒などの細い棒でのばす（細い棒を使うと、きれいに薄くのばせる）。

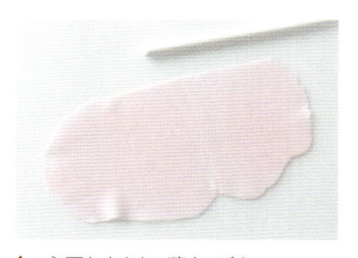

**6** 必要な大きさに薄くのばす。

## シュガーペーストのパーツを作る

### ◉ 花

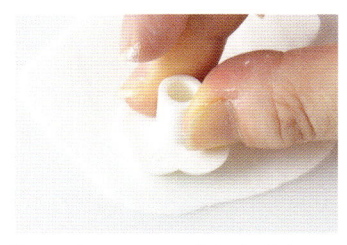

1　のばしたペーストを抜き型で抜く。

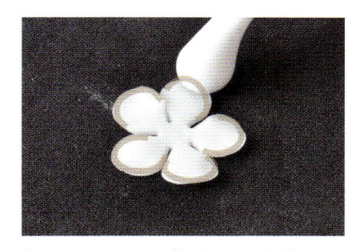

2　マットにのせ、花びらのふち（ベージュの部分）を細工棒でしごいてのばす。

3　スポンジにのせ、花の中心を細工棒で押し、丸みをつける。クッキーにはアイシングで接着する。

### ◉ リボン

1　1cm幅を目安に、棒状のペーストを3本作る。

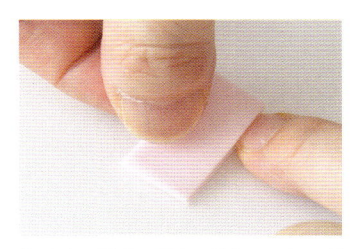

2　2本は半分の長さに折り、アイシングで端を貼り合わせる。

3　2のペーストの重ねた側の上に、同色のアイシングを絞る。

4　3のアイシングを絞った部分だけを、写真のように縦に貼り合わせる。

5　4で貼り合わせた側同士を、アイシングで重ねて貼り付ける。

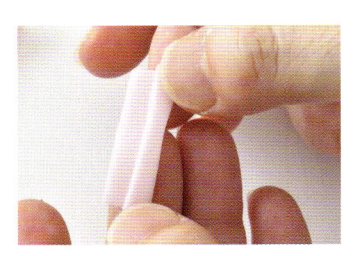

6　残りのペーストを写真のように、1/3を折り重ねる。

7　6を裏返し、端にアイシングを絞る。

8　7を5の中央部分に巻いて、貼り合わせる。

9　リボンの輪の形を整えて完成。

Part1　基本のレッスン

## 本書で使っている抜き型と道具

＊番号は購入できるオンラインショップです
＊このページの掲載情報は2014年9月現在のものです。取り扱いは変更になる場合がありますので、各店舗へお問い合わせください

### P.29
◆カラフルドット［パテ抜き丸No4］⑥ ◆ドットフラワー［パテ抜き丸No4］⑥ ◆ストライプ［パテ抜型四角12個セット／30mm］④ ◆チェック［パテ抜型四角12個セット／35mm］④

### P.31
◆スモールドット［Stadter抜き型セット長方形6個入り缶入り／S008106／30×45mm］⑦ ◆トリプルパターン［Stadter抜き型セット長方形6個入り缶入り／S008106／30×45mm］⑦ ◆ラージドット［Stadter抜き型セット長方形6個入り缶入り／S008106／30×45mm］⑦ ◆エスニックパターン［Stadter抜き型セット長方形6個入り缶入り／S008106／30×45mm］⑦

### P.33
◆カーブドレース［パテ抜き丸No4］⑥ ◆ラインレース［Stadter抜き型セット長方形6個入り缶入り／S008106／30×45mm］⑦ ◆エレガントレース［パテ抜き丸No4］⑥ ◆フローラルレース［Stadter抜き型セット長方形6個入り缶入り／S008106／30×45mm］⑦

### P.35
◆ローレル［パテ抜型四角12個セット／35mm］④ ◆ホワイトフラワー［パテ抜型四角12個セット／35mm］④ ◆ハート＆ドロップス［パテ抜型四角12個セット／35mm］④ ◆ワイルドフラワー［パテ抜型四角12個セット／35mm］④

### P.37
◆ピンクベルト［パテ抜き丸No4］⑥ ◆スターハート［パテ抜き丸No4］⑥ ◆シェルフラワー［パテ抜き丸No4］⑥ ◆プルームド［パテ抜き丸No4］⑥

### P.41
◆桜の花びら［パテ抜き菊No7］⑥ ◆同花びらのペースト［さくらのはなびら小］④ ◆小さな桜［パテ抜き菊No5］⑥ ◆同花のペースト［フカサクラ／桜生抜きA＃3］① ◆同花びらのペースト［さくらのはなびら小］④ ◆レースの桜［パテ抜き菊No5］⑥ ◆同花のペースト［フカサクラ／桜生抜きA＃3］① ◆同花びらのペースト［さくらのはなびら小］④ ◆桜［パテ抜き桜＃5］① ◆葉［桜の花びら小］①

### P.43
◆ティーポット［クッキー型／ティーポット／B1322］⑨ ◆カップ＆ソーサー［FoxRunクッキー型／皿付きティーカップ／F3375］⑨ ◆カトラリー／フォーク［Stadterクッキー型／フォーク7.5cm／GI99217］⑨ ◆カトラリー／スプーン［Stadterクッキー型／スプーン7.5cm／GI99200］⑨

### P.45
◆ラベンダー小［パテ抜型四角12個セット／40mm］④ ◆ラベンダー大［パテ抜型四角12個セット／50mm］④ ◆ベアー［パテ抜き丸No4］⑥ ◆ビー［パテ抜き丸No3］⑥ ◆水玉［パテ抜き丸No4］⑥ ◆ストライプ［パテ抜型四角12個セット／30mm］④ ◆らせん［パテ抜き丸No3］⑥

### P.47
◆口金の紫陽花［花6枚入缶入／R1928／53mm］⑦ ◆シンプルな紫陽花［花6枚入缶入／R1928／62mm］⑦ ◆和風の紫陽花［花6枚入缶入／R1928／62mm］⑦ ◆紫陽花の葉［Stadterクッキー型／葉っぱ／GI15057］⑨

### P.49
◆サマードレス［ブロムドレス＆ハイヒールセット］④ ◆ウェッジソールサンダル［Shoe - 1980's Wedge］輸入品 ◆ストローハット［UFO／M9029］⑤

### P.51
◆菊［KAISERクッキー抜型花型小］② ◆牡丹［KAISERクッキー抜型花型大］② ◆スターマイン［パテ抜き菊No7］⑥

### P.53
◆カメオ［パテ抜小判菊18-0＃11］⑧ ◆ビジュー［パテ抜小判菊18-0＃11］⑧ ◆マリー［パテ抜小判菊18-0＃11］⑧

### P.55
◆カウ［STADTERクッキー抜き型・パンプス］⑨ ◆ゼブラ［STADTERクッキー抜き型・パンプス］⑨ ◆ジラフ［STADTERクッキー抜き型・パンプス］⑨ ◆レオパード［STADTERクッキー抜き型・パンプス］⑨

### P.57
◆タイルA［ウェーブ抜型正方形3個組／55mm］④ ◆タイルB［ウェーブ抜型正方形3個組／55mm］④ ◆タイルC［ウェーブ抜型正方形3個組／55mm］④

### P.61
◆リボンハート［パテ抜きハートNo5］⑥ ◆Mハート［パテ抜きハートNo5］⑥ ◆ボーイ［男の子小］④ ◆ガール［女の子小］④

### P.63
◆ギフトボックス［パテ抜型四角12個セット／55mm］④、［パテ抜型四角12個セット／40mmを半分に切る］④ ◆Mミニハート［パテ抜きハートNo2］⑥ ◆ドットミニハート［パテ抜きハートNo2］⑥ ◆ストライプミニハート［パテ抜きハートNo2］⑥

### P.65
◆ローズのケーキ小［パテ抜き丸No1／24mm］、中［パテ抜き丸No4／39mm］、大［パテ抜き丸No6／54mm］⑥ ◆ホワイトドレス［Stadter／ブロムドレス／GI99330］⑨ ◆ホワイトプレート［Orchard Plaque Cutter／16mm］輸入品

### P.68
◆フラワードレス［Stadter／ブロムドレス／GI99330］⑨ ◆デイジーのパンチ［アイレットカッター2種イギリス刺繍抜き型花びら・6弁花びら／BA402］③ ◆しずくのパンチ［アイレットカッター2種イギリス刺繍抜き型花びら・6弁花びら／BA402］③ ◆リングピロー［ウェーブ抜型長方形3個組／63×43mm］④ ◆しずくのパンチ［アイレットカッター2種イギリス刺繍抜き型花びら・6弁花びら／BA402］③ ◆リボンのケーキ［クッキー型／N100327］⑨ ◆同リボンのペースト［ウェーブ抜型長方形3個組／63×43mm］④ ◆同しずくのパンチ［アイレットカッター2種イギリス刺繍抜き型花びら・6弁花びら／BA402］③

### P.70
◆スノークリスタルa［クッキー型5pcセット缶／雪の結晶／B1985／120㎜］⑨ ◆同中抜き用［クッキー型5pcセット缶／雪の結晶／B1985／60㎜］⑨ ◆スノークリスタルb［クッキー型5pcセット缶／雪の結晶／B1985／95mm］⑨ ◆同中抜き用［クッキー型5pcセット缶／雪の結晶／B1985／60mm］⑨ ◆ミニスノークリスタル［クッキー型5pcセット缶／雪の結晶／B1985／60mm］⑨ ◆ゴールドオーナメント［クッキー型6pcセット箱／クリスマス・オーナメントB1882］⑨ ◆シルバーオーナメント［クッキー型6pcセット箱／クリスマス・オーナメントB1882］⑨

### P.73
◆ケーキのパズルクッキー四角［約95×110mm］（ハンドカッティング） ◆同ケーキ型［クッキー型／ケーキ／N100327］⑨

### P.75
◆ロンパース［クッキー型／ベビー服／B1685／50mm］⑨ ◆ベイビーボトル［ミニ★クッキー型／哺乳瓶／B1686］⑨ ◆ビブ［ミニ★クッキー型／フリフリよだれかけ／B1683］⑨ ◆ベイビーベアー［ミニクッキー型テディベア／R1540］⑦

### P.80
◆マカロンM［ペチュニアの花びら2サイズセット／573+599／23mm］③ ◆マカロンE［デージーとマーガレットの花びら小20mmブランジャー付／631］③ ◆マカロンR［プリムローズの花びら2サイズ／PRI／21mm］③ ◆マカロンC［デージーとマーガレットの花びらミニ／629／13mm］③ ◆マカロンI［プリムローズの花2個／151-152］③

### P.82
◆ドットエクレア［孝義丸口金#9］［孝義丸口金#7］［孝義丸口金#5］⑩ ◆ローズのエクレア花［5弁花びら／クイックローズ／171A／F6A／42㎜］③ ◆同葉［バラの葉小／523］③ ◆ベイナー［葉脈付けマット4枚／I／VNM1］③

### P.86
◆カーネーション［パテ抜き菊No4］⑥ ◆いちごのバースデーケーキ花のペースト［5花弁花びら／クイックローズ／175／F10／20mm］③ ◆同プレート［ウェーブ抜型長方形3個組／49×35mm］④

【取扱店舗】
①おかしの森［www.okashinomori.com］ ②貝印［www.kai-group.com/store］ ③キッチンマスター［http://store.shopping.yahoo.co.jp/kitchenmaster］ ④クオカ［www.cuoca.com］ ⑤クッキービー［www.cookiebee.com］ ⑥Jhcジャパンホームメイドケーキチェーン［www.kk-awajiya.net］ ⑦スウィートハーツ［www.sweetheart2.com］ ⑧スタイルキッチン［www.rakuten.ne.jp/gold/hrc］ ⑨ナッツデコ［www.nut2deco.com］ ⑩コッタ［www.cotta.jp］

## Part 2

## Basic Decoration

# ベーシックなデコレーション

「ドット」「ライン」「波線」「しずく」「口金3種」の
基礎テクニックだけでできるアイシングクッキー。
デコレーションの基本がぎゅっとつまっているので、
初めての方は、まずはこの章のお菓子を繰り返し作ってみましょう。
シンプルながら、ほんのひと工夫で十分かわいい仕上がりです。

ドット & ライン①
# DOT & LINE ①

「ドットだけ」「ラインだけ」を使った一番かんたんなデザイン。
基本のテクニックだけでできますが、
ドットの大小やラインの配置を工夫するだけで、
かわいいクッキーに仕上がります。

アイシングの色は P.15 参照

## カラフルドット

●材料と作り方
**バニラクッキー**（P.10）
**アイシング**（P.12）
　下地…白
　ドット…ピンク、黄、紫、
　　　　水色、緑

1　クッキーの形に沿ってふち取りを描く。

2　1が乾いたら、下地をぬりつぶす。

3　2が乾かないうちに、大きさを変えながら、各色のアイシングで全体にドットを絞る。

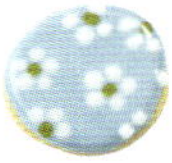

## ドットフラワー

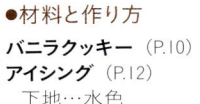

●材料と作り方
**バニラクッキー**（P.10）
**アイシング**（P.12）
　下地…水色
　花芯…緑
　花びら…白

1　ふち取りを描き、乾いたら下地をぬりつぶす。

2　1が乾かないうちに、ところどころ緑のアイシングで花芯用のドットを絞る（周りに花びらを絞るので、花芯同士は間隔をあける）。

3　2の周りに白のドットを5つ絞り、花びらにする（端の花は途中で切れてもよい）。

## ストライプ

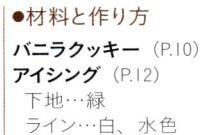

●材料と作り方
**バニラクッキー**（P.10）
**アイシング**（P.12）
　下地…緑
　ライン…白、水色

1　ふち取りを描いて、乾いたら下地をぬりつぶす。下地が乾かないうちに白のラインを引く。

2　白のラインに沿って、右側に水色のラインを引く。ラインはクッキーを回転させながら奥から手前に引く。

3　ラインがはみ出たときは、楊枝で取り除く。

## チェック

●材料と作り方
**バニラクッキー**（P.10）
**アイシング**（P.12）
　下地…白
　ライン…ピンク、紫

1　ふち取りを描いて、乾いたら下地をぬりつぶす。下地が乾かないうちにピンクのラインを引く。

2　ピンクのラインに沿って、隣に紫のラインを引く。

3　クッキーを回転させ、2のラインと垂直に交差するようにピンクのラインを引き、その隣に紫のラインを引く。

Part2　ベーシックなデコレーション

ドット&ライン②
# DOT & LINE ②

ドットとラインを組み合わせたデザインのクッキー。
同じ白の点と線でできていても、
下地の色に合わせた模様にすることで、全く違う雰囲気に。
下地の一部だけにデコレーションをすることで、
モダンな仕上がりになります。

アイシングの色は P.15 参照

## スモールドット

●材料と作り方
**バニラクッキー**（P.10）
**アイシング**（P.12）
　下地…水色
　ライン、ドット…白

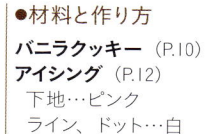

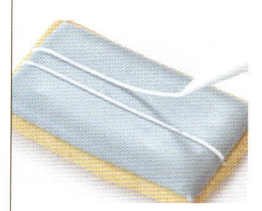

**1** ふち取りを描いて、乾いたら下地をぬりつぶす。表面が乾いたら中央に2本のラインを引く。

**2** 片方のラインに沿って、等間隔でドットを絞る。

**3** ドットの位置がそろうように、残りのラインにもドットを絞る。

## トリプルパターン

●材料と作り方
**バニラクッキー**（P.10）
**アイシング**（P.12）
　下地…ピンク
　ライン、ドット…白

**1** ふち取りを描いて、乾いたら下地をぬりつぶす。表面が乾いたら、間隔をあけて2本のラインを引く。

**2** 上下のラインに沿って、等間隔でドットを絞る。

**3** 2つのドットの間に、1つのドットを絞る。

## ラージドット

●材料と作り方
**バニラクッキー**（P.10）
**アイシング**（P.12）
　下地…紫
　ライン、ドット…白

**1** ふち取りを描いて、乾いたら下地をぬりつぶす。表面が乾いたら、2本のラインを垂直に交差するように引く。

**2** Aのラインに沿って、左右にずらしながら大きめのドットを絞る。

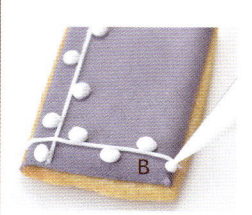

**3** Bのラインも同様に作業する。

## エスニックパターン

●材料と作り方
**バニラクッキー**（P.10）
**アイシング**（P.12）
　下地…緑
　ライン、ドット…白

**1** ふち取りを描いて、乾いたら下地をぬりつぶす。表面が乾いたら、左側に間隔をあけて2本のラインを引く。

**2** 1の間に、等間隔のジグザグのラインを引く。

**3** 2のジグザグでできた三角形の中心にドットを絞る。

Part2　ベーシックなデコレーション

ブラックレース
# BLACK LACE

波線を主に、ドット、ラインを組み合わせてレースをかたどりました。
複雑そうに見えますが、配置のバランスに気をつけて、
ひとつひとつの工程をていねいに作業すればOK。
黒単色にすることで、大人っぽい雰囲気に。

アイシングの色は P.15 参照

## カーブドレース

●材料と作り方
**バニラクッキー**（P.10）
**アイシング**（P.12）
　すべての模様…黒

1　中央に花を描き、その周囲に円を描く。

2　円に沿って小波を描く。半分描いたらクッキーを回転して、作業する場所を手前にすると描きやすい。

3　2の周囲にさらに円を描き、小波を描く。

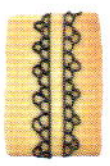

## ラインレース

●材料と作り方
**バニラクッキー**（P.10）
**アイシング**（P.12）
　すべての模様…黒

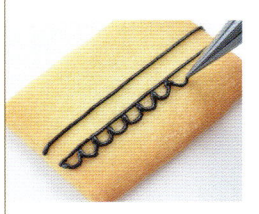

1　クッキーのセンターに、縦に2本のラインを引き、片方のラインに沿って小波を描く。

2　2つの小波をつなぐようにして、間に半円を描く。

3　残りのラインも2と同様に作業する。

## エレガントレース

●材料と作り方
**バニラクッキー**（P.10）
**アイシング**（P.12）
　すべての模様…黒

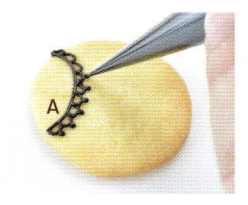

1　曲線Aを1本引き、Aに沿って小波を描いて、その先にドットを絞る。

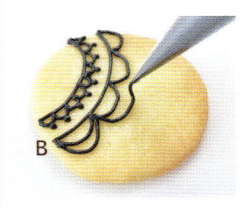

2　Aに沿って曲線Bを引く。Bに沿って波線を描き、さらに下に重なるように波線を描く。

3　波線の先と波線同士の間、曲線A、Bの間にドットを絞る。波線同士の間のドットは、先に向かって小さくなるように絞る。

## フローラルレース

●材料と作り方
**バニラクッキー**（P.10）
**アイシング**（P.12）
　すべての模様…黒

1　クッキーの中央に2本のラインを引き、3枚の花びらの形を3つ描く。

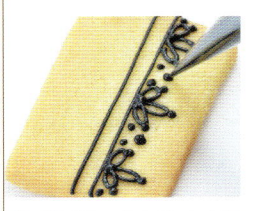

2　花びらの先にドットを絞り、さらに花びらの間に小さいドットを2つ絞り、その間に大きいドットを1つ絞る。

3　残りのラインも同様に作業する。

Part2　ベーシックなデコレーション

## ドロップス
# DROPS

しずくをテーマに、ドット、ラインを組み合わせた4つのクッキーです。
2つの基本テクニックにしずくが加わるだけで、バラエティー豊かなデザインに。
最初にどこから描くかがバランスよく仕上げる鍵。
その後の配置の目安になるので、ずれないように注意して。

アイシングの色は P.15 参照

## ローレル

●材料と作り方
**バニラクッキー**（P.10）
**アイシング**（P.12）
　しずく…水色

**1** クッキーのふちに沿って、しずくを左右交互に絞っていく。

**2** クッキーを回転させて同様に作業する。

**3** 2の作業を繰り返し、クッキーの4つの辺をふちどる。

## ホワイトフラワー

●材料と作り方
**バニラクッキー**（P.10）
**アイシング**（P.12）
　しずく、ドット…白
　花芯…黄

**1** 中心に向かって、6つのしずくを絞り、花を描く。しずくは時計回りではなく、対角線状に交互に絞ると、きれいな形になる。

**2** クッキーの四隅に、外側に向かって3つのしずくを絞り、花を描く。

**3** 空いているスペース全体にドットを絞り、1、2の花の中心に黄色の花芯を絞る。

## ハート＆ドロップス

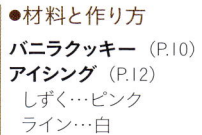

●材料と作り方
**バニラクッキー**（P.10）
**アイシング**（P.12）
　しずく…ピンク
　ライン…白

**1** しずくを左右に2つ絞ってハートを描き連ね、1本の線にする。

**2** 1のハートの左右にラインを引く。

**3** 2に沿ってしずくを絞ってつなぎ、その線に沿ってさらにラインを引く。

## ワイルドフラワー

●材料と作り方
**バニラクッキー**（P.10）
**アイシング**（P.12）
　ライン、しずく…緑
　ドット…紫

**1** 2本のラインを垂直に交差するように引く。

**2** 1のラインに沿って左右の位置をずらしながら、長めのしずくを絞る。

**3** しずくの間に写真のようにドットを絞る。

Part2　ベーシックなデコレーション

デコレーティングチップ
# Decorating Tip

「星」「葉」「バラ」の3つの口金を使った4種類のクッキー。
同じ口金でも絞り方を変えるだけで、がらりと違うデザインに。
立体感があり、華やかな雰囲気なので、淡色で組み合わせると、
大人かわいい仕上がりになります。

アイシングの色はP.15参照

## ピンクベルト

●材料と作り方
**バニラクッキー**（P.10）
**アイシング**（P.12）
　下地…グレー
　ライン…ピンク
シルバーアラザン
〔口金…MARPOL#67〕

**1** ふち取りを描いて、乾いたら下地をぬりつぶし、表面を乾かす。

**2** 葉口金で、手を左右に動かしながら、折り重ねるようにして、ベルトのラインを引く。

**3** 折り重なっている部分にアラザンを付ける。

## スターハート

●材料と作り方
**バニラクッキー**（P.10）
**アイシング**（P.12）
　下地…グレー
　ハート、星…ピンク
シルバーアラザン
〔口金…MARPOL#14〕

**1** ふち取りを描いて、乾いたら下地をぬりつぶす。表面が乾いたら、中央にハートを描く。

**2** 1のハートの内側に、星口金ですき間のないようにスターを絞る。外周から埋めるとやりやすい。

**3** 2のハートにまんべんなくアラザンを配置する。

## シェルフラワー

●材料と作り方
**バニラクッキー**（P.10）
**アイシング**（P.12）
　下地…グレー
　シェル…ピンク
シルバーアラザン
〔口金…MARPOL#14〕

**1** ふち取りを描いて、乾いたら下地をぬりつぶす。表面が乾いたら、星口金で中心に向かってシェルを8つ絞る。

**2** 1のシェルの表面が乾いたら、その間に同様にシェルを8つ絞る。

**3** 2の表面が乾いたら、中心に接着用のアイシングを絞り、アラザンを付けて形を整える。

## ブルームド

●材料と作り方
**バニラクッキー**（P.10）
**アイシング**（P.12）
　下地…グレー
　フリル…ピンク
シルバーアラザン
〔口金…MARPOL#101〕

**1** ふち取りを描いて、乾いたら下地をぬりつぶす。表面が乾いたらバラ口金の口が太い方を下に持ち、ハートを描くようにフリルの円を絞る。

**2** 1のフリル表面が乾いたら、1に重ねて少し小さ目のフリルの円を絞る。

**3** 2の表面が乾いたら、中心に接着用のアイシングを絞り、アラザンを付けて形を整える。

Part2 ベーシックなデコレーション

## COLUMN 1

# プレゼントしたい！おしゃれなギフトアイデア

心をこめて、時間をかけて作った手作りのアイシングクッキー。
せっかくなら、ラッピングにもこだわりたいもの。
ここでは、ひと工夫ですてきなギフトに変身するラッピングのアイデアを紹介します。

### プレゼントするときは…

クッキーはしけりやすいので、必ず乾燥剤を入れて包みましょう。フリーズドライパウダーは色も風味もとびやすいので、早めに食べてもらいましょう。

### プリントの台紙を使って

見ためがかわいいアイシングクッキーは、透明な小袋に入れるだけでもかわいいもの。さらに、クッキーの雰囲気に合わせた台紙を添えれば、さらに華やかになります。

### クリアボックスを使って

ギフトセット使用にするなら、やっぱりクリアボックスがおすすめ。お菓子の色が引き立つように合わせるペーパーの色を工夫して。

### クッキーとリボンをコーディネートして

透け感のあるチュール素材の小袋でラッピング。クッキーの色とリボンの色を合わせると、大人っぽくまとまります。

## Part 3

### Colorful & Tasty Decoration

# 色とおいしさを楽しむデコレーション

本書では着色に、果物や野菜のパウダーを使用。
合成着色料と違って、それぞれほんのりした風味があります。
このパートでは、その特長を生かして、
クッキーとアイシングを組み合わせました。
いろいろな味わいのアイシングクッキーを楽しんでください。

満開の桜
# SAKURA IN FULL BLOOM

甘酸っぱいいちごの生地に、
ベリー系のアイシングでデコレーションをしました。
シュガーペーストの桜が奥ゆかしく上品。
Part1のレース柄をちょっとアレンジした
取り組みやすいデザインです。

アイシングの色は P.15 参照

## 桜の花びら

●材料と作り方
**いちごクッキー**（P.11）
**アイシング**（P.12）
　すべての模様…ピンク
**シュガーペースト**（P.24）
　桜の花びら…ピンク

1　クッキーの端に花びらを5枚描き、花びらの起点、花びらの間にもドットを絞る。

2　1に沿って曲線を2本引き、曲線に沿って小波を描き、その先にドットを絞る。

3　スポンジの上で、花びらのペーストに細工棒を押し当てて、丸みをつける。

4　2のあいているスペースに、3をアイシングで付けて形を整える。

## 小さな桜

●材料と作り方
**いちごクッキー**（P.11）
**アイシング**（P.12）
　下地、花芯…白
　葉…緑
**シュガーペースト**（P.24）
　桜、桜の花びら…ピンク

1　下地をぬりつぶし、乾く前に葉となるドットを絞る。

2　1のドットの外側に楊枝を刺し、クッキーの中心に向かって引き、ハートの形にする。

3　桜のペーストに細工棒を押し当てて丸みをつけ、中心に花芯を絞る。

4　2が乾いたら中央に3の桜を付け、周囲にバランスよく花びら（左列参照）を付ける。

## レースの桜（a、b）

●材料と作り方
**いちごクッキー**（P.11）
**アイシング**（P.12）
　下地…ピンク
　葉…緑
　レース…ピンク
　花芯…白
**シュガーペースト**（P.24）
　花、花びら…ピンク

1　二重円を描いて、内側の円の中に下地を絞る。

2　下地が乾く前に葉となるドットを絞り、楊枝でドット同士をつなぐように円を描く。

3　1に沿って、写真のように、波線と小波、ドットを組み合わせたレースを描く。

4　「桜の花びら」「小さな桜」と同じペーストを中央に配置する。
＊bは外周の円と花びらのペーストがないシンプルバージョン

## 桜、葉

●材料と作り方
**いちごクッキー**（P.11）
**アイシング**（P.12）
　桜の下地…ピンク
　葉の下地…緑
　花芯、ドット…白
　シュガーパール（白）

1　桜型のクッキーの下地をぬりつぶして乾かし、外から中心に向かって長さの違うラインを放射状に描く。

2　花芯の中心にシュガーパールを付ける。

3　長い花芯の先に、大きめのドットを絞る。

4　葉は下地をぬりつぶし乾かす。

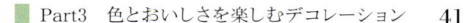

Part3　色とおいしさを楽しむデコレーション

午後の紅茶
# AFTERNOON TEA

紅茶の生地に相性抜群のジンジャーアイシングを
組み合わせました。
作業は単純ですが、パターンを繰り返すことで
エレガントな雰囲気になります。

アイシングの色は P.15 参照

## ティーポット

●材料と作り方
**紅茶クッキー**（P.11）
**アイシング**（P.12）
下地…ベージュ、紅茶
すべての模様…白
ゴールドアラザン

1　ポットの中央部分にベージュの下地をぬりつぶして乾かし、紅茶のアイシングで、ふた、口、持ち手、底のふち取りを描く。

2　1のふち取り内に紅茶の下地をぬりつぶして乾かす。細かい部分は楊枝でのばす。

3　ポットの中央横に波線を描き、重ねるように、手を上下にジグザグに動かしてフリルを描く。

4　フリルの間にしずくを絞って花を描き、その間にドットを絞る。

5　フリルのつなぎ目の下に、写真のようにしずくとドットを絞り、花の中央としずくの先にアラザンを付ける。

6　3の要領で、ふた部分にもフリルを描く。

7　フリルの上下にしずくを絞り、上部のしずくに沿ってドットを絞る。

8　7のしずくの先にアラザンを付ける。

9　ふたの持ち手部分に、接着用のアイシングを絞り、写真のようにアラザンを飾る。

## カップ＆ソーサー

●材料と作り方
**紅茶クッキー**（P.11）
**アイシング**（P.12）
下地…ベージュ、紅茶
すべての模様…白
ゴールドアラザン

1　カップにはベージュ、持ち手には紅茶の下地をぬりつぶし、乾いてからソーサーにベージュの下地をぬりつぶす（カップと一体化させないため）。

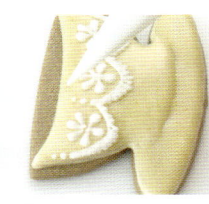

2　「ティーポット」3～4の要領で、フリル、花、ドットを絞る。

3　フリルのつなぎ目の間にしずくとドットを絞り、しずくの先と花の中心にアラザンを付ける。

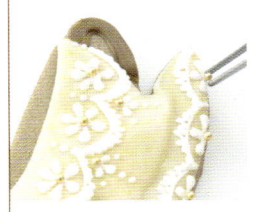

4　ソーサー部分もフリルを描いて、カーブの中にしずくを絞り、しずくの先にアラザンを付ける。

## カトラリー

●材料と作り方
**紅茶クッキー**（P.11）
**アイシング**（P.12）
下地…ベージュ
しずく、ドット…白
ゴールドアラザン

1　柄の部分の下地をぬりつぶし、乾いたら柄の先端にしずくを3つ絞る。

2　1のしずくにアラザンを付ける。

3　柄の付け根にも、同様にしずくを絞ってアラザンを付ける。

4　3のしずくの先にドットを3つ絞る。

Part3　色とおいしさを楽しむデコレーション

ラベンダー畑
# LAVENDER FIELD

抹茶クッキー × 抹茶アイシングの和テイストなお菓子。
メインカラーを1色にまとめたアイシングクッキーは、
ありそうでなかった新提案です。
アイシングパーツにも、ぜひチャレンジしてください。

アイシングの色は P.15 参照

## ラベンダー

●材料と作り方
**抹茶クッキー**（P.11）
**アイシング**（P.12）
　葉、茎…緑
　ドット…紫
〔口金…MARPOL#65〕

1　葉口金で長めに葉のラインを引く。長さと向きはそろえず、動きをつけて絞る。

2　葉の間にランダムにライン（茎）を描く。

3　茎の上や両側に紫のドットを絞り、花にする。

## ベアー

●材料と作り方
**「水玉」のクッキー**（P.45 右）
**アイシングパーツ**（P.21）
　クマ…コーヒー
　目、鼻…こげ茶

1　クマのアイシングパーツを作る。型紙（P.58）に沿ってふち取りを描き、耳、手、足にこんもりと絞って乾かす。

2　1の頭と体にこんもりとアイシングを絞って乾かす。

3　2にこんもり鼻部分を絞って乾かし、こげ茶で目と鼻を描く。全体が完全に乾いたらシートから外す。

4　3を「水玉」のクッキー（右列参照）にアイシングで接着する。

## ビー

●材料と作り方
**抹茶クッキー**（P.11）
**アイシング**（P.12）
　下地…緑
　曲線、ドット…白
**アイシングパーツ**（P.21）
　ハチ…コーヒー
　しま…こげ茶

1　ハチのアイシングパーツを作る。型紙（P.58）に沿って、写真のようにアイシングを絞って乾かす。

2　体にこげ茶でしまを描いて乾かし、シートから外す。

3　下地を絞って乾かしたクッキーに、白のアイシングで曲線とドットを絞る。

4　2を3の曲線の先にアイシングで接着する。

## 水玉、ストライプ、らせん

●材料と作り方
**抹茶クッキー**（P.11）
**アイシング**（P.12）
　下地…緑
　水玉…白
　ストライプ…白、紫
　らせん…紫

1　「水玉」は下地をぬりつぶし、乾く前にドットを絞る。

2　「ストライプ」は下地をぬりつぶし、乾く前に交互にラインを引く。

3　「らせん」は下地をぬりつぶし、乾く前に、クッキーのふちに沿ってらせんの円を描く。

Part3　色とおいしさを楽しむデコレーション

ある雨の日
# RAINY DAY

しっかりした味わいのブルーベリー生地のクッキーに、
ブルーベリーと抹茶のアイシングでデザインしています。
星口金で紫陽花を表現し、ハッカあめのしずくをあしらいました。
雨音が聞こえてきそうな、季節感のあるクッキーです。

アイシングの色は P.15 参照
a　b

## 口金の紫陽花（a、b）

●材料と作り方
**ブルーベリークッキー**（P.11）
**アイシング**（P.12）
　花…紫
　葉…緑
　C、しずく…白
　ハッカあめのしずく（P.58）
〔口金…MARPOL#14、65〕

1　aを作る。クッキーの中央に星口金でアイシングを絞って花を作り、周りに葉口金で葉を絞る。

2　クッキーの形に合わせてCを描く。

3　2の間にしずくを絞る。

4　bは1の要領で花と葉を絞り、ハッカあめのしずくをバランスよく配置する。

## シンプルな紫陽花

●材料と作り方
**ブルーベリークッキー**（P.11）
**アイシング**（P.12）
　下地…白
　C、ドット…白
　花…紫
　葉…緑

1　下地を写真のようにぬりつぶし、乾く前に花となる紫のドットを複数絞る。

2　楊枝で1のドットを外側4方向に引っ張り、ひし形になるように、形を整える。

3　2の周りに緑を三角形に絞り、2の要領で、楊枝でトゲトゲを作る。

4　クッキーの半円のスペースに、大小2つのCを重ねて描き、その間にドットを絞る。

## 和風の紫陽花

●材料と作り方
**ブルーベリークッキー**（P.11）
**アイシング**（P.12）
　下地…緑
　小波、しずく、葉…緑
　花…紫
　ドット…白
〔口金…MARPOL#14、65〕

1　下地を写真のようにぬりつぶし、乾く前に波線で花の一部を描く。

2　波線の中に白のドットを3つ絞り、○部分に楊枝を刺してAに向かって引く。

3　下地の周囲に小波を描き、クッキーのふちにしずくを3つずつ絞る。

4　2の下地が乾いたら、A部分に星口金で花を絞り、葉口金で葉を絞る。

## 紫陽花の葉

●材料と作り方
**ブルーベリークッキー**（P.11）
**アイシング**（P.12）
　下地…緑
　葉脈…白
　ハッカあめのしずく（P.58）

1　クッキーの形に沿って、葉をかたどったふち取りを描き、下地をぬりつぶす。

2　楊枝で下地をのばす。

3　下地が乾く前に、白のアイシングで葉脈を描く。

4　葉脈の先を楊枝で引くようにのばしてニュアンスをつけ、乾いたらハッカあめのしずくを配置する。

Part3　色とおいしさを楽しむデコレーション

サマーバケーション
# SUMMER VACATION

ほんのり黄色みがかったマンゴー生地に同じくマンゴーアイシングの組み合わせ。
デザインも味わいも夏らしいクッキーです。
かごの網目のようなあしらい（かごパイピング）は
細かくて時間がかかりますが、ほかにはない仕上がりになります。

アイシングの色は P.15 参照

## サマードレス

●材料と作り方
**マンゴークッキー**（P.11）
**アイシング**（P.12）
　下地…マンゴー
　すべての模様…白
**アイシングパーツ**（P.22）
　花びら…マンゴー
　花芯…紅茶　葉…緑
　〔口金…MARPOL#14、65〕

1　ドレス部分にマンゴーの下地をぬりつぶし、乾いたら肩部分に白のリボンを描く。

2　コルネを上下に動かして、胸の部分にフリルを描く。

3　スカートのすそに、フリルの波線を2列描く。

4　フリルの先に、白のドットを2つ絞る。

5　2に重ねてリボンを描き、テールの先にドットを絞る。

6　ひまわりのアイシングパーツ（P.22）を2つ作り、スカートにバランスよくアイシングで付ける。

7　6の周りに葉形に切ったコルネ（P.18）で、上に引くように葉を絞る。

8　7の葉先を、手でつまんでとがらせる。

## ウェッジソールサンダル

●材料と作り方
**マンゴークッキー**（P.11）
**アイシング**（P.12）
　かごパイピング、下地…マンゴー
　リボン…白
**アイシングパーツ**（P.22）
　花びら…マンゴー
　花芯…紅茶　葉…緑
　〔口金…MARPOL#14、65〕

1　かごパイピングを描く。写真のようにクッキーに合わせて、ふち取りを描いて縦のラインを引く。

2　それぞれの縦のラインに垂直に重なるように、写真のように短く横のラインを引く。隣り合った横のラインは互い違いにする。

3　つま先とかかと部分に下地をぬりつぶし、乾いたらリボンとドットを絞る。

4　「サマードレス」6〜8の要領で、ひまわりのアイシングパーツをアイシングで付け、葉を絞る。

## ストローハット

●材料と作り方
**マンゴークッキー**（P.11）
**アイシング**（P.12）
　かごパイピング…マンゴー
　シェル…紅茶
**アイシングパーツ**（P.22）
　花びら…マンゴー
　花芯…紅茶　葉…緑
　〔口金…MARPOL#14、65〕

1　かごパイピングを描く。写真のようにクッキーに合わせて、ふち取りと縦のラインを引く。

2　「ウェッジソールサンダル」2の要領で、縦のラインに垂直に重なるように、横のラインを引く。

3　2が乾いたら、つばの根元に星口金でシェルを絞ってベルトにする。

4　「サマードレス」6〜8の要領で、ひまわりのアイシングパーツをアイシングで付け、葉を絞る。

Part3　色とおいしさを楽しむデコレーション

夜空の花火
# DISPLAY OF FIREWORK

ほろ苦いココア生地のダークブラウンに淡色のアイシングが映える、
花火をイメージしたデザインです。
刺しゅうのような花は、ブラッシュエンブロイダリーという技法で、
アイシングを小筆で薄くのばしてニュアンスをだしています。

アイシングの色は P.15 参照

## 菊

●材料と作り方
**ココアクッキー**（P.11）
**アイシング**（P.12）
　花びら…マンゴー
　金箔ふりかけ
　ゴールドアラザン

**1** 数字の順に進めると作業しやすい。まず、クッキーのふちにアイシングを半円状に二重に描く。

**2** 水気を固く絞った小筆で、アイシングを中心に向かってのばす。これを繰り返す。

**3** 中心に金箔ふりかけをふり、アラザン接着用に大きめのドットを絞る。

**4** 3のドットの周りにアラザンを付ける。花びらの先にもそれぞれ、アイシングでアラザンを付ける。

## 牡丹

●材料と作り方
**ココアクッキー**（P.11）
**アイシング**（P.12）
　花びら…紫
　銀箔ふりかけ
　シルバーアラザン

**1** 「菊」1〜2の要領で、外周の花びらを作る。乾いたら外周の花びらとずらすように花びらの形を描き、水気を固く絞った小筆で中心に向かってのばす。これをスペースが埋まるように繰り返す。

**2** 中央に銀箔ふりかけをふり、中央にアイシングでアラザンを飾り、そこから放射状にアラザンを配置する。

**3** 花びらの先にアイシングでアラザンを付ける。

## スターマイン

●材料と作り方
**ココアクッキー**（P.11）
**アイシング**（P.12）
　しずく…マンゴー
　金箔ふりかけ
　ゴールドアラザン

**1** クッキーの形に沿って、長めのしずくを絞る。上下左右を絞ってから、間のしずくを絞るとバランスがとりやすい。

**2** 1のしずくの間に、2列目のしずくを絞る。

**3** 2のしずくの間に、3列目のしずくを絞る。

**4** 中央に金箔ふりかけをふって、中央にアラザンを飾る。しずくの先と1列目のしずくの間に、それぞれアラザンを付ける。

### arrange

「菊」のアレンジ。aは藤色、bは緑アイシング。

「菊」のアレンジ。cはマンゴー、dは緑のアイシング。どちらも花びらを2列にする。

「牡丹」のアレンジ。水色のアイシング。

「スターマイン」のアレンジ。水色のアイシングでしずくは2列。シルバーアラザン使用。

「スターマイン」のアレンジ。藤色のアイシングで、シルバーアラザン使用。

Part3　色とおいしさを楽しむデコレーション

# ANTIQUE BROOCH
アンティークブローチ

紫いも生地にきなこアイシングでデコレーション。
どこか懐かしい甘みのクッキーです。
シュガーパールをあしらって、
ブローチのようなデザインに仕立てました。
3つともアイシングパーツを使います。

アイシングの色は P.15 参照

## カメオ

●材料と作り方
**紫いもクッキー**（P.11）
**アイシング**（P.12）
　下地…きなこ
　ドット…白
**アイシングパーツ**（P.21、23）
　カメオ、リボン…白
　シュガーパール（白）
　〔口金…MARPOL#101〕

1　だ円形に下地をぬりつぶし、乾いたらカメオのアイシングパーツ（P.21）を貼る（型紙はP.58）。

2　カメオの首にドットを絞り、ネックレスにする。

3　下地の周りにアイシングを少しずつ絞りながら、シュガーパールを付ける。

4　リボンのアイシングパーツ（P.23）を上部に付ける。

## ビジュー

●材料と作り方
**紫いもクッキー**（P.11）
**アイシング**（P.12）
　下地…きなこ
　すべての模様…白
**アイシングパーツ**（P.21）
　レース…白
　シュガーパール（白）
　シルバーアラザン

1　だ円形に下地をぬりつぶし、乾いたら上下にしずくを絞ってその周りにドットを絞る。

2　中心にアイシングを絞り、シュガーパールを円形に付ける。

3　2の中心にアラザンを付ける。

4　3のシュガーパールの間にアラザンを付ける。

5　中心に向かって4つしずくを絞り、しずくの上下にアラザンを付ける。

6　4の左右と、1のしずくのおしりにアラザンを付ける。

7　しずくの間に、写真のように大きさを変えながら、ドットを絞る。

8　レースのアイシングパーツ（型紙はP.58）を作り、下地の周りに立たせて接着する。

9　8を繰り返して周囲を埋める。写真では17枚のアイシングパーツを使用。

## マリー

●材料と作り方
**紫いもクッキー**（P.11）
**アイシング**（P.12）
　下地…きなこ
　すべての模様…白
**アイシングパーツ**（P.23）
　リボン…白
　銀箔ふりかけ
　シュガーパール（ピンク）

1　だ円形に下地をぬりつぶし、乾いたら中央にMarieの文字を描く。

2　右下にしずくを絞って、花と枝にし、花の中央にシュガーパールを付ける。

3　2の花の周りに葉を描き、茎の上にドットを絞り、銀箔ふりかけをふる。

4　下地の周りにシュガーパールを付け、リボンのアイシングパーツ（P.23）を上部に付ける。

Part3　色とおいしさを楽しむデコレーション

モードなパンプス
# MODE PUMPS

香ばしさがあとをひく黒ごまの生地に、
モノトーンのアイシングでデコレーションしました。
4種のアニマル柄がアダルトな雰囲気。
ほかのお菓子に比べて取り組みやすいデザインです。

アイシングの色は P.15 参照

## カウ

●材料と作り方
**黒ごまクッキー**（P.11）
**アイシング**（P.12）
　ふち取り…黒
　下地…白
　ヒールの下地…黒
　牛柄…黒

1　クッキーの形に沿って、写真のようにふち取りを描く。

2　1のふち取りの内側で、ヒール以外の下地を少なめにぬりつぶし、楊枝で端までのばす。

3　2の下地が乾く前に、写真のようにランダムに黒のアイシングで柄を絞る。

4　3が乾いたら、ヒール部分の下地を絞る。

## ゼブラ

●材料と作り方
**黒ごまクッキー**（P.11）
**アイシング**（P.12）
　ふち取り…グレー
　下地…グレー
　ヒールの下地…グレー
　シマウマ柄…白

1　「カウ」1〜2の要領でふち取りを描き、下地を少なめにぬりつぶす。

2　写真のように、下地のグレーがしまになるように、白のアイシングで柄を絞る。

3　楊枝で2の柄の形を整える。

4　3が乾いたら、ヒール部分の下地をぬりつぶす。

## ジラフ

●材料と作り方
**黒ごまクッキー**（P.11）
**アイシング**（P.12）
　ふち取り…黒
　下地…白
　ヒールの下地…白
　キリン柄…黒

1　「カウ」1の要領でふち取りを描き、下地を少なめにぬりつぶす。

2　「カウ」2の要領で、アイシングを楊枝で端までのばす。

3　写真のように、下地の白が十字になるように黒のアイシングで柄を絞る。

4　3が乾いたら、ヒール部分の下地をぬりつぶす。

## レオパード

●材料と作り方
**黒ごまクッキー**（P.11）
**アイシング**（P.12）
　ふち取り…グレー
　下地…グレー
　ヒールの下地…黒
　レオパード柄…白、黒

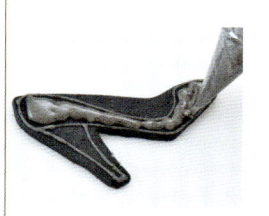

1　「カウ」1〜2の要領でふち取りを描き、下地を少なめにぬりつぶす。

2　全体にランダムに白のアイシングで、レオパード柄となるドットを絞る。

3　2のドットを囲むように、黒のアイシングで半円を描く。

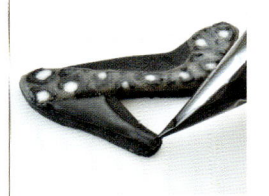

4　3が乾いたら、ヒール部分の下地をぬりつぶす。

Part3　色とおいしさを楽しむデコレーション

ダマスク柄のタイル
# DAMASK TILE

ラズベリーの濃いピンクの生地に、
ラズベリーのアイシングでデコレーションをした、
甘酸っぱさが際立つクッキーです。
ダマスク柄は、楊枝を使って仕上げます。
バランスがくずれないように、見本をよく見て配置しましょう。

アイシングの色は P.15 参照

## タイル A
●材料と作り方
**ラズベリークッキー**（P.11）
**アイシング**（P.12）
　下地、フレーム…ローズ
　ダマスク柄…紫

**1** クッキーの中央に四角形に下地をぬりつぶし、乾く前にドットを絞って、先端を矢印の方向に楊枝で引っぱる。

**2** 写真のようにドットを絞り、楊枝で引っ張る作業を繰り返し、ダマスク柄を描く。

**3** 写真のようにダマスク柄を完成させる（○印はのばさないドット、矢印は楊枝で引っぱる方向）。

**4** 下地の周りに、ラインとドットを絞ってフレームにする。

## タイル B
●材料と作り方
**ラズベリークッキー**（P.11）
**アイシング**（P.12）
　下地、フレーム…ローズ
　ダマスク柄…紫

**1** 四角形に下地をぬりつぶし、「タイルA」の**1**～**2**の要領で柄を作る。左右に写真（○印）のような柄を絞る。

**2** 1の柄を外側に向かって楊枝で引っぱり、ヒイラギの葉のように整える。

**3** 写真のようにダマスク柄を完成させる（○印はのばさないドット、矢印は楊枝で引っぱる方向）。

**4** クッキーの四隅にしずくとドットを絞り、その間に、C、カーブをつけたしずく、ドットを描いてフレームにする。

## タイル C
●材料と作り方
**ラズベリークッキー**（P.11）
**アイシング**（P.12）
　下地、ライン、フレーム…ローズ
　ダマスク柄…紫

**1** 四角形に下地をぬりつぶし、乾く前に写真のようにS字を2つ描く。

**2** 1の周りにドットを絞り、楊枝で引っぱり形を整える。

**3** さらにドットを絞り、楊枝で引っぱり形を整える。

**4** 上部に大きめのドットを絞り、写真のように、中央に向かって楊枝で引っぱり形を整える。

**5** 写真のようにダマスク柄を完成させる（○印はのばさないドット、矢印は楊枝で引っぱる方向）。

**6** 下地の周囲にフレームのラインを引き、四隅にしずくの形を描く。

**7** ラインに沿って小波を描き、その間にしずくの形を描く。

**8** 4辺すべてに**6**の作業を繰り返す。

Part3　色とおいしさを楽しむデコレーション

## COLUMN2

### 【ハッカあめのしずくの作り方】

「ある雨の日」（P.46）で使っている、ハッカあめのしずくの作り方を紹介します。
あめをくだいてオーブンに入れるだけだから、かんたん。
お好みでほかのクッキーに付けてももちろんOKです。

1　ハッカあめを袋に入れて、めん棒などでくだく。

2　オーブンシートを敷いた天板にのせ、180℃のオーブンで約3分焼く（あめが溶ければよい）。

3　オーブンから出してすぐの状態。あめはまだ液状。

4　天板からオーブンシートごと外して、冷ます。

5　冷めて固まったらオーブンシートから外して、ピンセットで好みのクッキーにのせる。

### 【アイシングパーツの型紙】

本書にでてくるアイシングパーツの型紙です。
作り方は「アイシングパーツを作る」（P.21）を参考にしてください。
別の紙にトレースするか、コピーして使ってください。
型紙の上にOPPシートかワックスペーパーをのせて、アイシングでなぞったり、ぬりつぶします。完全に乾かしてから、シートを外して使います。

ベアー（P.45）　　ビー（P.45）　　カメオ（P.53）　　ビジューのレース（P.53）

## Part 4

### Anniversary gift Decoration
# アニバーサリーギフトのための デコレーション

バレンタイン、ウエディングなど、記念日のプレゼントとして、
そのまま使えるギフトセットの提案です。
少し難易度はあがりますが、
基本のテクニックが習得できていれば心配ありません。
手間がかかる分、仕上がりはとっても華やか。
どれも喜びの笑顔が思い浮かぶようなデザインです。

プリティ バレンタイン
# PRETTY VALENTINE

ココア生地を使った、かわいいバレンタインギフトです。
ほろ苦いクッキーと、ストロベリーアイシングの相性は抜群。
口金を使ったデザインは立体的で華やかに見えますが、
コツさえつかめばかんたんです。

アイシングの色は P.15 参照

## リボンハート

●材料と作り方
**ココアクッキー**（P.11）
**アイシング**（P.12）
　すべての模様…ピンク
　シルバーアラザン
　〔口金…MARPOL#101〕

1　バラ口金で縦横に絞り、はみ出た部分は指で取り除く。

2　ラインが交差した部分にリボン（P.23）を描き、水気を固く絞った小筆で輪の部分を整える。

3　リボンの中央にアイシングでアラザンを飾り、Loveの文字とハートを描く。

4　全体にアラザンを配置する。

## Mハート

●材料と作り方
**ココアクッキー**（P.11）
**アイシング**（P.12）
　すべての模様…ピンク
　〔口金…MARPOL#14〕

1　星口金でMの文字を描く。描き始めと終わり、折り返し部分は少しためてニュアンスをつける。

2　ハートの形に沿って、シェルを上から下に半周絞る。

3　ピンセットなどでクッキーを押さえながら、シェルを残りの半周に絞る。

## ボーイ

●材料と作り方
**ココアクッキー**（P.11）
**アイシング**（P.12）
　髪、顔、リボン、パンツ…白
　ライン…こげ茶
　シルバーアラザン

1　クッキーに、白のアイシングで髪と顔を描く。

2　白でリボンとパンツのふち取りを描いて、乾いたら下地をぬりつぶす。

3　パンツの下地が乾かないうちに、ストライプのラインを引く。

4　リボンの下にアイシングでアラザンを付け、ボタンにする。

## ガール

●材料と作り方
**ココアクッキー**（P.11）
**アイシング**（P.12）
　髪、顔、花…白
　ドレス…ピンク
　シルバーアラザン

1　クッキーに、髪と顔を描き、首の周りにアイシングでアラザンを付けてネックレスにする。

2　ピンクでドレスのふち取りを描いて、乾いたら下地をぬりつぶす。

3　下地が乾いたら、白のしずくを絞って花を描く。花の中心にアラザンを付ける。

4　花の間に、バランスよくドットを絞る。

Part4　アニバーサリーギフトのためのデコレーション　61

バレンタイン ボックス
# VALENTINE BOX

クッキーで組み立てたボックスには、小さなハートがいっぱい！
驚きの声があがりそうな、バレンタインギフトです。
ボックスをきれいに組み立てるには、パーツの大きさが肝心。
きちんと生地の長さを測って焼いてください。

アイシングの色は P.15 参照

## ギフトボックス

● 材料と作り方
**ココアクッキー**（P.11）
**アイシング**（P.12）
　ボックス用…こげ茶
　リボン用…ピンク
**シュガーペースト**（P.24）
　リボン…ピンク

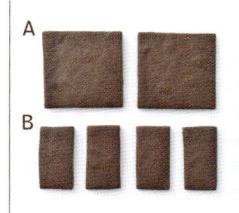

1　パーツのクッキーを用意する。A 5.5cm角の正方形が2枚、B 2×4cmの長方形が4枚。

2　ボックスを作る。Bに接着用のアイシングを絞り、Aに付ける。

3　パーツが接着する部分にすべてにアイシングを絞り、2枚目のBを付ける。

4　残りも同様に作業する。Bをすべて付けた状態。パーツ同士の重なり方に注意。

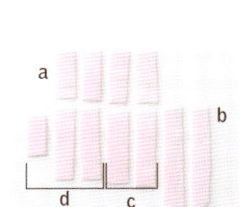

5　シュガーペーストでリボンを作る。幅約1cmの棒状のペーストを、箱の大きさに合わせて11本用意する。

6　aのペーストを側面中央に写真のようにアイシングで貼り付け、はみ出た部分は、はさみで切り取る。

7　ふたのパーツにbをアイシングで貼る。

8　はみ出した部分は、はさみで切り取る。

9　ボックスにペーストを貼った状態。

10　リボンのテールを2本作る。cのペーストの先を三角に切る。

11　10を写真のようにふたに付ける。

12　dでリボン（P.25）を作り、11の中央にアイシングで接着する。

13　手でリボンの形を整える。

## M ミニハート

● 材料と作り方
**ココアクッキー**（P.11）
**アイシング**（P.12）
　すべての模様…ピンク
　シルバーアラザン

1　コルネでMの文字を描き、写真のようにしずくを4か所絞る。しずくの先にアラザンを付ける。

## ドットミニハート ストライプミニハート

● 材料と作り方
**ココアクッキー**（P.11）
**アイシング**（P.12）
　下地…ピンク
　ドット、ライン…こげ茶

1　「ドットミニハート」は、ピンクの下地をぬりつぶし、乾く前にこげ茶のドットを絞る。

2　「ストライプミニハート」は、ピンクの下地をぬりつぶし、乾く前に斜めにこげ茶のラインを引く。

Part4　アニバーサリーギフトのためのデコレーション

ホワイト ウエディング
# WHITE WEDDING

白でまとめた、クラシカルなデザインのウエディングギフト。
レモンのクッキーは、爽やかな風味です。
ウエディングケーキはシンプルにまとめてバラの華やかさを際立たせました。
プレートの "Félicitations pour ton mariage" は、"結婚おめでとう" という意味のフランス語です。

アイシングの色は P.15 参照

## ローズのケーキ

●材料と作り方
**レモンクッキー**（P.11）
**アイシング**（P.12）
　すべての飾り…白
　葉…緑
**アイシングパーツ**（P.23）
　ローズ…白
シルバーアラザン
〔口金…MARPOL#101〕

1　パーツを用意する。クッキーは、1.5cm厚さの生地で焼く。ローズのアイシングパーツ（P.23）を作る。

2　クッキーの周囲にドットを絞り、ドットをつなぐように波線のレースを2本描く（ドットの数は小4つ、中6つ、大8つ）。

3　正面にくるドットが一列に揃うように、大中小の順に重ねてアイシングで付ける。

4　クッキーの重なっている部分に、写真のようにしずくを絞る。

5　レースの重なる部分にしずくを絞り、アラザンを付ける。

6　クッキーのトップに写真のようにコルネで葉を絞り、中心に接着用のアイシングを絞る。

7　1のローズを6の中心にのせる。

8　6～7の要領で、葉とローズをバランスよく2か所に配置する。

## ホワイトドレス

●材料と作り方
**レモンクッキー**（P.11）
**アイシング**（P.12）
　下地…白
　すべての模様…白
シルバーアラザン
〔口金…MARPOL#101〕

1　バラ口金の口が太い方を上にして持ち、ドレスのすそに、上下に手を動かしながら2本のフリルを描く。

2　ドレスの下地をぬりつぶし、乾いたらドレスの左右にしずくを連ねて絞る。

3　2の周りに写真のように、しずく、ドット、Cを組み合わせたレースを描く。

4　胸元にも同様にレースを描き、しずくの先、首もとにアラザンを付ける。

## ホワイトプレート

●材料と作り方
**レモンクッキー**（P.11）
**アイシング**（P.12）
　ベース…白
　すべての模様…白
　文字…水色
　葉…緑
**アイシングパーツ**（P.23）
　バラ…白
シルバーアラザン
〔口金…MARPOL#14、101〕

1　ベースを絞り、乾いたらベースの形に沿って写真のように、しずく、Cを組み合わせたレースを描く。

2　星口金で、写真のようにベースに沿ってシェルを絞り、フレームにする。

3　Félicitations pour ton mariageの文字を描き、しずくの先にアラザンを配置する。

4　右上に葉を絞り、ローズのアイシングパーツ（P.23参照）を配置する。

Part4　アニバーサリーギフトのためのデコレーション

ブルー ウエディング
# BLUE WEDDING

全体にパンチング（抜き型で抜いて模様を作ること）をあしらったモダンなウエディングギフト。
キュートなデザインでもブルー × ホワイトの配色で清楚な雰囲気も演出しています。
型で穴を開けるのはちょっと大変ですが、
その分アイシングのデコレーションは最小限なので、贈り物にぜひ。（→ 作り方は P.68~69）

ホワイト クリスマス
# WHITE CHRISTMAS

白、シルバー、ゴールドでまとめた、大人っぽい雰囲気のクリスマスクッキー。
ハッカあめを溶かして焼いた雪の結晶は曇りガラスのような仕上がりに。
金箔、銀箔を貼り付けたオーナメントは食べるのがもったいないくらいゴージャスです。
ジンジャークッキーのほんのりスパイシーな風味も楽しんで。（→ 作り方は P.70~71）

Part4 アニバーサリーギフトのためのデコレーション

アイシングの色は P.15 参照

## フラワードレス

●材料と作り方
**オレンジクッキー**（P.11）
**アイシング**（P.12）
　接着用…白
**シュガーペースト**（P.24）
　ドレス…白
シルバーアラザン

1　ペーストをクッキーと同じ型で抜き、すそと胸元に楊枝を押し当てて転がし、ひだをつける。

2　すその形に沿って、しずく型で抜く。

3　スカート部分をデイジー型で抜く。

4　花の周りをしずく型で抜く。

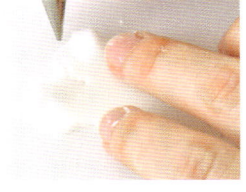

5　胸元を丸口金（MARPOL #1）で抜く。

6　クッキーの端に接着用のアイシングを絞る。

7　5のドレスを貼り付ける。

8　胸元に沿って接着用のアイシングでアラザンを付け、スカート部分にランダムにアラザンを配置する。

## リングピロー

●材料と作り方
**オレンジクッキー**（P.11）
**アイシング**（P.12）
　キルティング、接着用…水色
　シェル、接着用、リング…白
**シュガーペースト**（P.24）
　レース…白
シュガーパール（白）
シルバーアラザン

1　クッキーと同じ型で抜いたペーストの4辺に楊枝を押し当てて転がし、しずく型と丸口金（#1）で抜く。

2　写真のように、水色のアイシングで、キルティング部分のふち取りを描く。

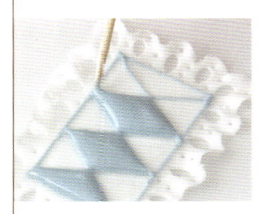

3　センター部分の三角とひし形の下地をぬりつぶし、楊枝で端までのばす。

4　3が完全に乾いたら、上下の三角部分にも下地をぬりつぶす（時間差で絞ることで、キルティング模様ができる）。周囲にしずくを絞る。

5　クッキーの四隅にアイシングを絞り、4を貼り付ける。

6　リングを作る。OPPシートにアイシングで円を描き、その上にアラザンをのせる。これを2つ作る。

7　シートに接着用のアイシングを絞り、写真のようにシュガーパールとアラザンを付け、リング用の飾りを作る。

8　6が乾いたらシートから外し、1つは角砂糖で挟んで立てて、7を接着する。

9　8と飾りを付けていないリングにアイシングを絞り、5にバランスよく接着する。

## リボンのケーキ

●材料と作り方
**オレンジクッキー**（P.11）
**アイシング**（P.12）
　すべての模様…水色
**シュガーペースト**（P.24）
　リボン…白
シルバーアラザン

**1** クッキーの形に沿ってふち取りを描き、中に花と花びらを描く。

**2** 1が乾いたら、花と花びらの中に入らないように、水色の下地をぬりつぶす。

**3** 細かい部分は楊枝でのばす。

**4** 3が乾いたら、花と花びらに沿って、アイシングでふち取りを描く。

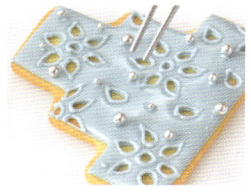

**5** 全体にランダムにアラザンを接着する。

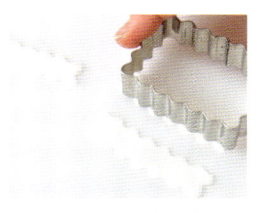

**6** リボンを作る。ペーストを波形の抜き型で切るようにして、パーツを作る。パーツは、写真のように5本作る。

**7** パーツの周囲をしずく型と丸口金（#1）で抜き、「リボン」（P.25）の2〜5の要領で、リボンを作る。

**8** 短いパーツを「リボン」（P.25）6〜9の要領で7に巻く。

**9** 残りのパーツをねじって、写真のように5の上部にアイシングで接着する。

**10** 9の間にアイシングを絞り、8を付ける。

Part4　アニバーサリーギフトのためのデコレーション

アイシングの色は P.15 参照

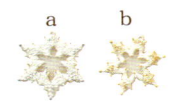

## スノークリスタル（a、b）

●材料と作り方
**ジンジャークッキー**（P.11）
**アイシング**（P.12）
　下地…白
　すべての模様…白
ハッカあめ
シルバーアラザン
銀箔ふりかけ

**1** aを作る。結晶型で抜いたクッキー生地の中を、ひと回り小さい結晶型で抜く。オーナメントにする場合は、結晶の先に棒でひもを通すための穴を開ける。

**2** 1を180℃のオーブンで5〜8分焼いて取り出し、中にくだいたハッカあめをすき間なく入れ、さらに180度のオーブンで6〜8分ほど焼く。

**3** 焼き上がった状態。クッキーが色付き、あめが均一に溶けていればよい。

**4** 網の上で冷まし、完全に冷えたらオーブンシートからはがす。

**5** クッキーの形に沿って下地をぬりつぶし、乾いたらしずくを連ねて葉を描く。

**6** 5の間に先をカーブさせたしずくを連ねて描く。

**7** 写真のように、アラザンを接着し、銀箔ふりかけをふる。

＊bは**5**のようにしずくを連ねて葉を描き、ゴールドアラザンを配置し、金箔ふりかけをふる

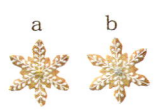

## ミニスノークリスタル（a、b）

●材料と作り方
**ジンジャークッキー**（P.11）
**アイシング**（P.12）
　すべての模様…白
ゴールドアラザン

**1** aを作る。結晶の先端の対角線を結ぶように、放射状にラインを引く。

**2** 1のラインに沿って、左右にしずくを絞る。

**3** 中央と、結晶の先端にアラザンをアイシングで付ける。

＊bは最後にシルバーアラザンを配置する

## ゴールドオーナメント

●材料と作り方
**ジンジャークッキー**（P.11）
**アイシング**（P.12）
　下地…白
　しずく…白
金箔
金箔シュガー
ゴールドアラザン

1　クッキーの形に沿ってふち取りを描く。中央に楕円の下地をぬりつぶし、乾いたら楊枝を使って金箔を貼る。

2　楊枝で金箔の形を整える。

3　2の左右に下地をぬりつぶす。

4　3が乾いたら、金箔のカーブに沿って、左側にしずくを連ねて葉を描く。

5　しずくが乾く前にしずくに金箔シュガーをふる。

6　右側も4〜5の要領でしずくを連ねて葉を描き、金箔シュガーをふる。しずくの先にゴールドアラザンを配置する。

## シルバーオーナメント

●材料と作り方
**ジンジャークッキー**（P.11）
**アイシング**（P.12）
　下地…白
　しずく…白
銀箔
銀箔シュガー
シルバーアラザン

1　オーナメントの丸い部分は「ゴールドオーナメント」1〜3の要領で作る（中央に帯状に銀箔を貼る）。

2　下地が乾いたら、○の部分にしずくを連ねて模様を描く。

3　しずくが乾かないうちに、銀箔シュガーをふる。

4　銀箔に沿ってしずくを左右交互に描き、銀箔シュガーをふる。同じ要領で銀箔の上のスペースにもしずくを絞り、銀箔シュガーをふる。

5　それぞれのしずくの先にアラザンを配置する。

Part4　アニバーサリーギフトのためのデコレーション

ハッピー バースデー
# HAPPY BIRTHDAY

大人も子どももらってうれしい、パズル仕様のバースデークッキー。
クッキーさえ焼いてしまえば、デザインは基本のテクニックだけでできます。
キュートなデザインでも子どもっぽくなりすぎないのは、抑えた色みのおかげ。
中央の "Joyeux anniversaire" は、"誕生日おめでとう" という意味です。

アイシングの色はP.15参照

●材料と作り方
**バニラクッキー**（P.10）
**アイシング**（P.12）
下地…白
〈A〉
ろうそく…白、オレンジ
ドット、ライン…黄、緑、水色、紫、ピンク、オレンジ
文字…こげ茶

〈B〉
ハート…緑
ライン…水色
〈C〉
花芯…黄
花びら…ピンク、水色
葉…緑

〈D〉
サークル…黄
ドット…緑
〈E〉
花…ピンク、緑

## ケーキのパズルクッキー

**1** クッキーを焼く。四角型で抜いた生地をケーキ型でさらに抜き、残った生地を縦横に二等分して焼く。

**2** 1のクッキーに写真のように白のアイシングでふち取りを描く。

**3** 〈A〉を作る。白でろうそくのラインを描き、オレンジでしずくを絞って炎にする。

**4** ケーキの上段に白の下地をぬりつぶし、乾く前に色、大きさを変えながらランダムにドットを絞る。

**5** 4が乾いたらケーキの下段も下地をぬりつぶし、乾く前に各色でストライプのラインを引く。乾いたらJoyeux anniversaireの文字を描く。

**6** 〈B〉を作る。白の下地をぬりつぶし、乾く前に、緑のドットを縦に並べて絞る。

**7** ドットの中心を通るように楊枝で引っぱり、ハートにする。

**8** 7の間に水色のアイシングでラインを引く。

**9** 〈C〉を作る。白の下地をぬりつぶし、乾く前に花芯となる黄色のドットをランダムに絞る。

**10** 花芯の周りにピンクと水色のアイシングでドットを絞り、花びらにする。

**11** 10の周りに葉となる緑のドットを絞る。

**12** 11のドットを楊枝で引っぱり、葉の形にする。

**13** 〈D〉を作る。白の下地を少なめにぬりつぶし、乾く前に黄色でサークルを描いて塗りつぶす。

**14** 13の間に緑のアイシングでドットを絞る。

**15** 〈E〉を作る。白の下地をぬりつぶし、乾く前に、ピンクと緑で二重の半円を描く。

**16** 15の円の外側から中心に向かって、3〜4か所楊枝で引っぱり花にする。

**17** 16と同じ要領で、すべての半円を楊枝で引っぱる。

ベイビー ギフト
# BABY GIFT

赤ちゃんをイメージした、出産祝いのギフトセット。
着色は野菜パウダーを使っているから、色合いも味わいもやさしい仕上がりです。
ここでは、プレッシャーパイピングというテクニックで、
アイシングを重ねながら、どうぶつのデコレーションをします。

アイシングの色は P.15 参照

## ロンパース

●材料と作り方
**バニラクッキー**（P.10）
**アイシング**（P.12）
　下地…水色
　すべての模様…白

**1** 水色の下地をぬりつぶして乾かし、首もと、そで、すそに沿って、白の小波を描き、先にドットを絞る。

**2** あひるを描く。顔と体部分になるしずくをこんもりと2つ絞り、足を描く。

**3** 2が乾いたら、体に重ねて羽のしずくを絞る。

**4** 全体にランダムにドットを絞る。

## ベイビーボトル（a、b）

●材料と作り方
**バニラクッキー**（P.10）
**アイシング**（P.12）
　吸い口…黄
　キャップ…オレンジ
　びん…水色
　目盛り、うさぎ…白

＊bは吸い口…黄、キャップ…白、目盛り…黄、びん…若葉

**1** 吸い口、キャップ、びん、それぞれに各色の下地をぬりつぶして乾かし、白で目盛りのラインを引く。

**2** 写真のように、しずくをカーブさせて絞ってうさぎの耳にし、大きめのドットを絞って顔にする。

**3** うさぎの体のふち取りを描く。

**4** 体をこんもり絞り、乾いたら重ねてドットをこんもりと絞り、しっぽにする。

## ビブ

●材料と作り方
**バニラクッキー**（P.10）
**アイシング**（P.12）
　下地のふち取り…白
　下地…オレンジ
　ドット…若葉
　レース、リボン、クマ…白

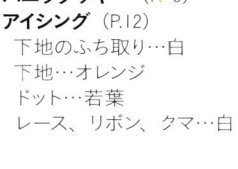

**1** 白でふち取りを描いて、下地をぬりつぶし、楊枝でのばす。

**2** 乾かないうちに若葉のドットをランダムに絞る。首もとに白で小波とドットのレースを描き、リボンも描く。

**3** 大きめのドットを2つ絞り、クマの顔と体にする。

**4** 3が乾いたら、周りにドットを描く、手、足を描く。乾いたらドットを顔に重ねて絞り、鼻にする。

## ベイビーベアー

●材料と作り方
**バニラクッキー**（P.10）
**アイシング**（P.12）
　目、鼻、パンツのふち取り、ボタン…白
　リボン、ライン…水色
　パンツの下地…若葉

**1** 写真のように、白で目、鼻、パンツのふち取りを描き、水色のリボンのふち取りを描く。

**2** リボンをぬりつぶし、リボンの下に白のドットを絞ってボタンにする。

**3** 若葉でパンツの下地をぬりつぶす。

**4** 3が乾かないうちに、水色でストライプのラインを引く。

Part4 アニバーサリーギフトのためのデコレーション

## Part 5
### Confectionery Decoration
# 市販のスイーツを使ったデコレーション

ここではクッキー以外のスイーツデコレーションをご紹介。
シンプルなお菓子も Part 1〜4 のテクニックを応用すれば、
フランス菓子のような仕上がりに。ちょっとした贈り物にもぜひどうぞ。

### マカロン
# MACARON

シュガーペーストの花と、
MERCI（「ありがとう」という意味）のアイシングパーツでデコレーション。
かわいい色のマカロンがいっそう見映えよく仕上がりました。
（→作り方は P.80〜81）

# ÉCLAIR
エクレア

エクレアのコーティングの色に合わせたデザインは大人っぽく、華やか。
ペーストを水玉模様のように貼るだけでもかわいく、
立体感のあるバタフライとローズは、ディテールの細やかさが目を引きます。
色みが強すぎないエクレアを使うのがおすすめです。
(→作り方は P.82 〜 83)

Part5 市販のスイーツを使ったデコレーション

# CHOU À LA CRÈME
シュークリーム

サイズの違うシュークリームを重ねて、
粉砂糖と水を混ぜたフォンダンをかけ、ルリジューズ\*風に。
これがどこでも手に入る市販のシュークリームとは思えない、
エレガントな雰囲気です。
5弁の花、スミレ、デイジーと、
それぞれ違う花のアイシングパーツを添えて。
(→作り方は P.84〜85)

\*ルリジューズ…修道女のえりに見立ててフォンダンをかけた
大小のシュークリームを重ねて、デコレーションしたもの

## 3種類のケーキ
# GÂTEAU TROIS

カップケーキ、いちごのケーキ、ガトーショコラの3種を
デコレーションしました。クッキーにメッセージを
書いて添えれば、より気持ちの伝わる贈り物に。
見ためよりかんたんなカーネーションは、
ぜひ覚えたいアイテムです。
(→作り方は P.86〜87)

Part5 市販のスイーツを使ったデコレーション

[マカロン]

## マカロン M

●材料と作り方
マカロン（市販）
**アイシング**（P.12）
　接着用…白
**アイシングパーツ**（P.21）
　M…白
**シュガーペースト**（P.24）
　花…白
シルバーアラザン
銀箔ふりかけ

1　Mのアイシングパーツを作る。型紙（P.81）に沿って、アイシングを絞る。

2　1が乾かないうちに銀箔ふりかけをふり、完全に乾いたらシートから外す。

3　型で抜いた花のペーストをマットにのせ、花びらのふちを細工棒でしごいてのばす。

4　3に細工棒を押し当てて転がし、ひだをつける。

5　4をスポンジにのせ中心に細工棒を押し当てて、丸みをつける。

6　5の中心にアイシングを絞り、アラザンを付ける。

7　マカロンに接着用のアイシングを絞る。

8　2を7に貼り付け、6をバランスよく配置する。

## マカロン E

●材料と作り方
マカロン（市販）
**アイシング**（P.12）
　接着用…白
**アイシングパーツ**（P.21）
　E…白
**シュガーペースト**（P.24）
　花…白
シルバーアラザン
銀箔ふりかけ

1　3枚の花のペーストにアイシングをつけて、写真のようにマカロンに貼り付ける。

2　花の中心にアイシングを絞り、アラザンを付ける。

3　ピンセットで2のアラザンの形を整える。

4　「マカロンM」1〜2の要領でEのアイシングパーツを作り、3に貼り付ける。

## マカロン R

●材料と作り方
マカロン（市販）
**アイシング**（P.12）
　接着用…白
**アイシングパーツ**（P.21）
　R…白
**シュガーペースト**（P.24）
　花…白
シルバーアラザン
銀箔ふりかけ

1　「マカロンM」1〜2の要領でRのアイシングパーツを作る。

2　花のペーストをマットにのせ、花びらのふちを細工棒でしごいてのばす。

3　2に細工棒を押し当てて転がし、ひだをつける。

4　3をスポンジにのせ、中心に細工棒を押し当てて、丸みをつける。

アイシングの色は P.15 参照

## マカロン C

●材料と作り方
マカロン（市販）
**アイシング**（P.12）
　接着用…白
**アイシングパーツ**（P.21）
　R…白
**シュガーペースト**（P.24）
　花…白
シルバーアラザン
銀箔ふりかけ

## マカロン I

●材料と作り方
マカロン（市販）
**アイシング**（P.12）
　接着用…白
**アイシングパーツ**（P.21）
　I…白
**シュガーペースト**（P.24）
　花…白
シルバーアラザン
銀箔ふりかけ

5　4の中心にアイシングを絞り、アラザンを付ける。

6　マカロンに接着用のアイシングを絞り、1を貼り付け、5をバランスよく配置する。

1　マカロンの周囲に接着用のアイシングを5か所絞る。

2　5枚の花のペーストを1のアイシングに重ねて貼り付ける。

3　花の中心にアイシングを絞り、アラザンを付ける。

4　「マカロンM」1〜2の要領でCのアイシングパーツを作り、3に貼り付ける。

1　花のペーストをマットにのせ、花びらのふちを細工棒でしごいてのばす。

2　1をスポンジにのせ、中心に細工棒を押し当てて、丸みをつける。

3　2の中心にアイシングを絞り、アラザンを付ける。

4　「マカロンM」1〜2の要領でIのアイシングパーツを作って貼り付け、3をバランスよく配置する。

### MERCIの型紙

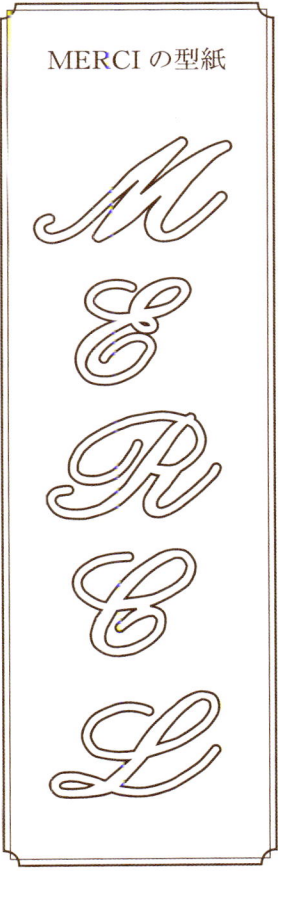

*M*
*E*
*R*
*C*
*I*

Part5　市販のスイーツを使ったデコレーション　81

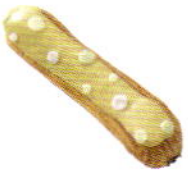

[エクレア]

## ドットエクレア

●材料と作り方
エクレア（市販）
**シュガーペースト**（P.24）
　ドット…ピンク、黄、緑

1　好みの3種類のサイズの丸口金で、ペーストを抜く。

2　1をエクレアにランダムに貼り付ける。

## バタフライのエクレア

●材料と作り方
エクレア（市販）
**アイシングパーツ**（P.21）
　バタフライ…白
　ゴールドアラザン

1　バタフライの型紙（下記）にOPPシートかワックスペーパーをのせ、下絵に沿って、アイシングを絞る。

2　羽が完成した状態。

3　2が乾いたら、中心に体と目を絞る。

4　右の羽をシートから外し、ピンセットで持ち上げて角度をつけ、角砂糖で固定する。

5　左の羽も持ち上げて固定し、体部分のアイシングが固まったらシートから外す。

6　5をエクレアに配置する。

7　6にバランスよくアラザンを配置する。

バタフライの型紙

アイシングの色は P.15 参照

## ローズのエクレア

●材料と作り方
エクレア（市販）
**アイシング**（P.12）
　接着用…白
**シュガーペースト**（P.24）
　葉…緑
　バラ…ピンク

**1** ベイナー（葉脈を付ける道具）、葉と花の抜き型を用意する。

**2** 葉のペーストを2枚抜き、ベイナーにのせ、スポンジを押し当ててあとをつける。

**3** 2をマットにのせ、ふちを細工棒でしごいてのばす。

**4** ピンクのシュガーペーストを丸めて写真のように形を整え、バラの芯を作る。

**5** 4の大きさを花型の花びらの長さに合わせる。

**6** 花のペーストを2枚抜く。

**7** 6をマットにのせ、ふちに細工棒を押し当ててのばす。

**8** 7をスポンジにのせ、それぞれの花びらに細工棒を押し当てて丸みをつける。

**9** 8の花を5枚の花びらになるように、パレットナイフで切り離す。

**10** それぞれの花びらに写真のようにアイシングを絞る。

**11** 10を5に巻き付ける。1枚めはしっかりと巻き付け、もう1枚は少しゆるめに巻く。

**12** 11の要領で、つなぎ目を隠すように3枚の花びらを、だんだんゆるく巻き付ける。

**13** 小筆で12の花びらを広げてニュアンスをつける。

**14** 13のつなぎ目に重ねて1周するように、残りの花びらを巻き付ける。

**15** 14の形を手でそっと整える。

**16** 15をエクレアに配置する。

**17** バラの左脇に3の葉を付ける。

**18** 残りの葉をバラの右脇に付ける。

Part5　市販のスイーツを使ったデコレーション

[ルリジューズ]

## ルリジューズA

●材料と作り方
**ルリジューズの土台**（P.85）
**アイシング**（P.12）
　接着用…ピンクもしくは白
**アイシングパーツ**（P.22）
　花…ピンク
シルバーアラザン
〔口金…MARPOL#101〕

1　花のアイシングパーツを作る。バラ口金の口の太い方を下にして持ち、OPPシートをひいたフラワーネイルに、花びらを絞る。

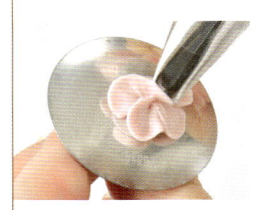

2　下から重ねるように、残り4枚の花びらを絞る。

3　水気を固く絞った小筆で花の形を整え、完全に乾かしてシートから外す。

4　3の中央にアイシングを絞り、アラザンを付けて形を整える。

5　土台の中心に、接着用のアイシングを絞る。

6　4の花を5に配置する。

## ルリジューズB

●材料と作り方
**ルリジューズの土台**（P.85）
**アイシング**（P.12）
　接着用…白
**アイシングパーツ**（P.22）
　デイジー…白
ゴールドアラザン
〔口金…MARPOL#101〕

1　デイジーのアイシングパーツを作る。バラ口金の口の太い方を下に持ち、ハートを書くように細長く花びらを絞る。

2　フラワーネイルを回転させながら花びらを5〜6枚絞り、1周する。

3　水気を固く絞った小筆で花の形を整え、完全に乾かしてシートから外す。

4　3の中央にアイシングを絞る。

5　4にアラザンを付ける。

6　5のアラザンの形を整える。

7　土台の中心に接着用のアイシングを絞り、6を配置する。

# ルリジューズC

●材料と作り方
**ルリジューズの土台**（右）
**アイシング**（P.12）
　接着用…紫
**アイシングパーツ**（P.22）
　スミレ…紫もしくは白
　ゴールドアラザン
〔口金…MARPOL#101〕

1　スミレのアイシングパーツを作る。バラ口金の口が太い方を下にして持ち、小さめの花びらを2つと、大きめの花びらを1つ絞る。

2　1に重ねるように左右に花びらを絞る。

3　水気を固く絞った小筆で花の形を整え、完全に乾かしてシートから外す。

4　3の中央にアイシングを絞ってアラザンを3つ付け、土台の中心に接着用のアイシングを絞ってスミレを配置する。

## ルリジューズの土台の材料と作り方

シュークリーム（市販）
…大小各1個
フォンダン
粉砂糖…250g
水…30ml

フリーズドライパウダー（P.14）
…適量
生クリーム（8分立て）

1　フォンダンを作る。粉砂糖と水をボウルに入れ、ハンドミキサーの低速でよく練る。

2　つやがでて、とろっとすれば完成。

3　2にパウダー（Aはピンク、Bは緑、Cは紫）を加えて混ぜ合わせ、着色する。

4　3を大きいシュークリームにのせる。

5　4のフォンダンをパレットナイフでのばして、形を整える。

6　ふちがきれいなラインになるように、手で整える。

7　小さいシュークリームにも同様にフォンダンを塗る。

8　6の中心に接着用の生クリームを絞る。

9　8に7をのせる。

10　重ねた部分に写真のように星の口金（MARPOL#14）で生クリームを絞る。

## カーネーションのカップケーキ

●材料と作り方
**カップケーキ（市販）**
**フォンダン**（P.85）
**アイシング**（P.12）
　接着用…ピンク、白
　ドット…白
**シュガーペースト**（P.24）
　カーネーション…ピンク

**1** カーネーションを作る。写真のように菊型の抜き型で花のペーストを4枚抜く。

**2** それぞれの花のふちに楊枝を押し当てて転がし、フリルをつける。

**3** 2をふんわりと半分に折り重ねる。

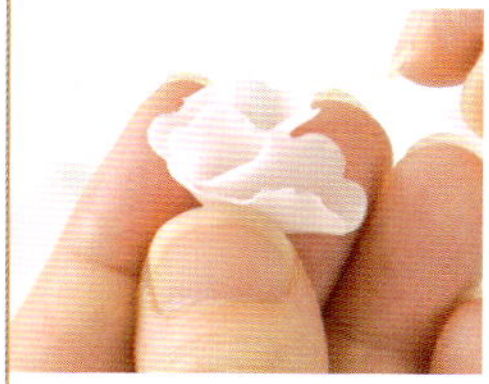

**4** 3をさらに半分に折り重ねる。同様に4つ作る。

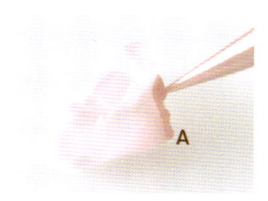

**5** Aの部分に接着用のアイシングを写真のように絞る。

**6** 4つの花の、Aの部分を貼り合わせて1つの花にする。

**7** 形を整える。

**8** 「ルリジューズの土台の作り方」（P.85）の**1〜6**の要領でピンクのフォンダンを作り、カップケーキに塗る。

**9** 8の中心に接着用のアイシングを絞る。

**10** 7のカーネーションを9に配置する。

**11** カーネーションの周りにドットを絞る。

アイシングの色は P.15 参照

## ハートの
## ガトーショコラ

●材料と作り方
**ガトーショコラ（市販）**
**ココアクッキー**（P.11）
**アイシング**（P.12）
　しずく、文字…ピンク
**シルバーアラザン**
**飾り用アイシングクッキー**
　・ボーイ、ガール（P.61）
　・ドットミニハート、ストライプミニハート（P.63）

**1** クッキーにデコレーションをする。写真のようにそれぞれ4か所にしずくを絞ってアラザンを付け、中央にLOVEの文字を描く。

**2** 1をガトーショコラに配置する。

**3** 飾り用のアイシングクッキーもバランスよく配置する。

**4** ケーキの周囲にリボンを巻く。

## いちごのバースデーケーキ

●材料と作り方
**いちごのケーキ（市販）**
**バニラクッキー**（P.10）
**アイシング**（P.12）
　下地、レース、接着用…白
　花…緑
　文字…こげ茶
**シュガーペースト**（P.24）
　花…白
**カラーシュガー**（黄）

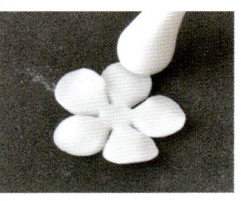

**1** 花のペーストを作る。ペーストを花型で6枚抜き、マットの上でふちを細工棒でしごいてのばす。

**2** 1をスポンジにのせ、中心に細工棒を押し当てて、丸みをつける。

**3** 2の中心にアイシングを絞り、カラーシュガーを付ける。

**4** 「ハッピーバースデー」（P.73）の15〜17の要領でプレートの模様を描き、ふちに白の波線でレースを描く。下地が乾いたら、文字を描く。

**5** 3の花を4の左上にアイシングで付ける。

**6** 残りの3の花をケーキに配置する。

**7** 5のプレートを6に配置する。

Part5　市販のスイーツを使ったデコレーション　87

## 小林三佐子

シュガークラフト&フランス菓子研究家。
1995年よりシュガークラフト、ヨーロッパのお菓子を学び、渡英。2001年ブリティッシュ・シュガークラフト・ギルドが主催する世界大会で最優秀賞を受賞する。その後フランス菓子を学ぶため、渡仏(2004年エコール・リッツ・エスコフィエ、ベルーエ・コンセイユ、2009年パリ・エコール・フェランディ・アトリエ・ピエール・エルメ)。現在は、銀座のアトリエ「Misako's Sweets」主宰。スイーツデコレーションクラス、シュガークラフトクラス、フランス菓子クラスなど、各種教室を開く。教室はなかなか予約が取れないほど好評。
HP http://www.misakosweets.com

【STAFF】
撮影　　　　　　　　村尾香織
スタイリング、ラッピング　石井あすか
デザイン　　　　　　春日井智子(ダグハウス)
校正　　　　　　　　くすのき舎
編集　　　　　　　　笠川雅代(ダグハウス)

本当においしい
### アイシング&カラフルクッキー

2014年11月1日　第1版発行

著者　　小林三佐子
発行者　下川正志
発行所　一般社団法人 家の光協会
　　　　〒162-8448
　　　　東京都新宿区市谷船河原町11
　　　　電話　03-3266-9029(販売)
　　　　　　　03-3266-9028(編集)
　　　　振替　00150-1-4724
印刷　　図書印刷株式会社
製本　　図書印刷株式会社

落丁・乱丁本はお取り替えいたします。
定価はカバーに表示してあります。
©Misako Kobayashi 2014 Printed in Japan
ISBN978-4-259-56455-1 C0077